촌놈의 어린 시절

촌놈의 어린 시절

발　행 | 2024년 02월 07일
저　자 | 무누라
펴낸이 | 한건희
펴낸곳 | 주식회사 부크크
출판사등록 | 2014.07.15.(제2014-16호)
주　소 | 서울특별시 금천구 가산디지털1로 119 SK트윈타워 A동 305호
전　화 | 1670-8316
이메일 | info@bookk.co.kr

ISBN | 979-11-410-7050-2

www.bookk.co.kr

촌놈의 어린 시절

무누라 지음

CONTENT

3장 촌놈@춘천

여러 책을 읽으며,

실재하는 혹은 누군가 진실인 양 만들어 놓은 삶을 들여다보았다.

책을 읽으면 읽을수록 슬펐다.

책을 써낸 그들이 부러웠다.

질투가 났다. 그러지 못하는 내가 아쉬웠다.

오기를 갖고 이번엔 글을 쓰는 책들을 읽었다.

그들은 한결같이 말한다. 일단 써라.

멋있는 말도, 놀라운 이야기도 일단 써봐야 한다.

천장(千張)의 책도 한 문장부터다.

그래서 쓰기 시작했다.

소설을 좋아하니까 나도 소설을 쓰고 싶었다.

그러나 소설처럼 멋진 이야기를 창조할 자신은 없었다.

적당히 타협하여 내가 가진 이야기들을 써보기로 했다.

아득히 멀어져가는 기억을 억지로 데려와서 문서에 담았다.

조각조각 어긋나는 기억들이 몸부림쳤다.

나름의 추정과 추론 그리고 각색으로 기억인 듯 기억 아닌 이야기를 써 내려갔다.

2024. 01. 18. 무누라

1장

촌놈 @태백

제1화 학교 가는 길

5층짜리 주공아파트 2층에 있는 우리 집. 현관을 지나 계단을 따라 5~6호 통로를 내려온다. 통로에서 좌측으로는 아파트 상가가 보이고 정면에서 살짝 우측에는 놀이터가 보인다. 아침 등교마다 그네 몇 번 타고 가고 싶은 마음이 굴뚝같지만 얼른 학교 가서(더 정확하게는 학교 앞에 가서) 수업 시작 전에 놀거리를 생각하면 이내 생각을 고쳐먹는다. 통로에서 나와 우측으로 쭈욱 걸어간다. 우리 집이 있는 동을 지나쳐 옆 동이 나타난다. 계속 걸어가다 옆 동 끝에 다다르면 우회전한다. 그러면 단지와 외부를 구분하는 철제 울타리가 보인다. 그 울타리 구석에 단지 밖으로 나갈 수 있도록 한 작은 쪽문이 있다. 언젠가 친구들과 놀다가 그랬는지, 아니면 혼자 까불다가 그랬는지 문으로 돌아나가기 귀찮아서 울타리를 넘어가려 했다. 제 몸 크기는 생각하지 않고 무리하게 울타리를 넘다가 철제 울타리 끝부분에 긁혀서 다리오금 부위에 손가락만 한 상처가 생겼다. 상처가 제법 깊어서 아무는 데까지 시간이 꽤 걸렸고 울퉁불퉁 흉터도 남았다. 그 후로는 다소 돌아가더라도 문을 찾아 넘어가려 한다.

쪽문을 지나 단지 밖으로 나오면 연립주택이라고 불리는 빌라 단지가 나온다. 빌라는 우리 아파트보다 2층이 낮은 3층짜리 건물인 것 외에는 큰 차이는 없어 보인다. 다만, 단지 규모가 더 작고 단지를 구별하는 울타리가 없다. 결정적으로 빌라 단지에는 놀이터가 없다. 아버지는 시간 나실 때 종종 빌라 단지에 가신다. 빌라 어딘가에 사시는 어르신께서 대국 한 판 두자고 찾으시기 때문이다. 아버지께서 빌라에 다녀오시면 난 항상 여쭤보았다.

''아빠, 이번에도 할아버지한테 바둑 이겼어?''

''응, 그럼.''

아버지는 항상 이겼다고 하셨다. 내가 커서 아이를 키우다 보니 왜 아버지께서 그렇게 대답하셨는지 살짝 이해되었다. 짧은 대답이 가장 덜 귀찮은 법이다. 빌라를 왼쪽에 두고 길을 따라 쭈욱 직진한다. 길의 우측에는 넓은 공터가 있다. 공터에는 공장 같기도 하고 창고 같기도 한 임시 건물이 몇 개 있다. 이 건물에는 물결 무늬의 슬레이트 지붕이 길게 내려와 있었는데, 겨울눈이 오고 나면 그 지붕 끝에 고드름이 내 팔 길이만큼 자라 있어서 친구들과 종종 놀러 갔다. 길고 뾰쪽한 고드름을 끊어다가 아이스바를 먹는 시늉을 하며 혀를 대기고 하고 친구들과 칼싸움하기도 했다. 공터의 한편에는 버려진 화물 기차들이 검정 기름때와 붉은 녹에 뒤덮인 채로 버려져 있었다. 간혹 여기에서 놀기도 했다.

빌라 단지와 공터 사이 길로 계속 가다 보면 우회전하는 길이 나온다. 이쯤 되면 학교에 제법 가까워져 눈에 익은 친구들이 여럿 보이기 시작한다. 조금 더 가다 보면 학교로 들어가는 길이 보인다. 많은 아이가 학교에 곧장 들어가지 않고 이곳에 머문다. 문구점과 잡화점의 모호한 경계에 있는 가게 몇 개가 좌우로 놓여있기 때문이다. 가게에서는 학용품, 실내화, 물체 주머니, 미술용품, 악기 등 학교생활에 필요한 거의 모든 것들을 팔았다. 그리고 군것질거리, 장난감, 액세서리 등 학교생활에 필요 없는 상당한 것들도 팔았다. 이에 더해 가게 앞에는 아이들을 유혹하는 각종 뽑기 게임이 있었다. 가장 저렴한 게임은 넓은 도화지에 반으로 접힌 작은 종이들이 스테이플러로 박혀있는 것인데, 50원 남짓을 내고 작은 종이를 두어 개 뜯어 그 안쪽에 적힌 등수대로 경품을 받는 것이었다. 1등을 하면 가격 좀 돼 보이는 장난감 총이나 자동차를 준다고 되어 있으나 매번 꼴등만 나와서 도대체가 저 1등을 뽑는 사람이 나오는지 늘 의문이었다. 매번 꼴등 경품으로 50원보다 훨씬 저렴해 보이는 땅콩 캐러멜 몇 개만 받곤 했다. 그다음은 100원짜리 동전을 납작한 홈에 넣고 손잡이를 돌리면 동그란 플라스틱 통을 토해내는 장난감 뽑기 게임이다. 장치 겉면에는 여기에 어떠한 장난감들이 들었는지 표시되어 있고 동그란 통에는 게 중 하나가 무작위로 들어 있었다. 인기 있는 시리즈의 장난감이 있을 때는 모든 종류의 캐릭터를 모으려고 열심히 하기도 했고 주위 친구들과 교환하기도 했다. 잡화점 앞 게임기 중 최고봉은 역시 '짱겜보' 게임기다. 100원짜리 동전을 넣고 가위바위보를 하여 나오는 숫자만큼의 코인을 토해내는 사행성 게임기인데 가위바위보를 하는 순간에 짱겜보라는 소리가 나오기에 다들 짱겜보 게임기라 불렀다. 거기서 나오는 코인은 100원과 가치가 같아서 잡화점 내에서 돈처럼 쓸 수 있었다. 물론 대부분은 짱겜보 게임을 다시 하느라 탕진하기 일쑤다. 잡화점을 지나면 조그마한 분식집이 있다. 떡볶이와 오뎅은 물론이요. 토스트나 각종 튀김 등을 팔았다. 내가 가장 좋아하는 메뉴는 식빵튀김이었다. 달걀을 입힌 듯 노란색 튀김옷을 입은 토스트에 설탕을 가득 묻혀서 먹을 수 있었다. 그 분식집 아주머니는 늘 식빵을 대각선으로 잘라 삼각형 모양의 토스트를 팔았다.

학교 앞의 이 무시무시한 유혹을 흠뻑 맛보고 나서 드디어 교정으로 들어갈 수 있었다. 뇌리에 남아있는 특이한 기억은 이쪽으로 들어가는 문이 정문이 아닌 쪽문이어서 매우 작았다는 것이고, 쪽문 바로 앞에는 작은 도랑이 지나고 있어서 쪽문으로 가려면 도랑만큼이나 작은 다리를 지나가야 했다는 것이다. 실제 그러했는지 사실 확인이 필요하겠으나 나의 등굣길 이미지에는 이렇게 남아있다. 쪽문을 지나면 운동장이었고, 그 반대편에는 학교 건물이 있었다. 보통은 건물 안으로 곧장 들어갔지만, 가끔은 건물 뒤편을 들르곤 했다. 거기에는 특이하게 작은 연못이 있었다. 그리고 연못 중앙에는 더 작은 바위섬이 있었고 그 위에서 연못의 터줏대감 거북이가 일광욕을 즐기곤 했다. 거북이가 잘 있나 구경하러, 때론 잘 있는 거북이에게 자갈 하나 던지러 가는 재미가 있었다.

길고 납작한 나무 판재가 가로누운 복도를 지나 교실 앞에 서면 복도 앞 신발장에 신발을 놓는다. 그리고 복도와 똑같은 바닥을 가진 교실로 들어선다. 실내화는 꼭 신어야 한다. 나무 판재에서 종종 잔가시들이 튀어나와 양말을 뚫고 발을 찌르기 때문이다. 학기 초 선생님께서 지정해 주신 내 자리에 앉아 가방을 비롯한 소지품을 내려놓는다. 등교 끝.

제2화 추억으로 변하는 순간

별 볼 일 없을 것 같은 과거가 때로는 미래의 어떤 일들로 인해 기막힌 추억으로 탈바꿈되곤 한다.

정미를 만났다. 무려 7년이나 지난 후에, 다시.

이 세상에 태어나와 몇 년간의 기억 공백 시기를 지난 후 정신을 차려보니 강원도 태백에 있었다. 내 기억의 가장 오래된 것들의 배경은 태백시하고도 황지동이었다. 그 옛날 탄광 산업을 이끌었던 태백시는 대부분이 산지로 이루어져 있고 주요 근린 시설들은 황지동에 몰려있었다. 황지천을 감싸고 길쭉하게 생긴 황지동의 북쪽에는 태백역과 주요 상업 시설, 보건소 등이 있고, 가운데쯤이라고 하는 곳에는 낙동강의 발원지라 알려진 황지연못이 있다. 영남의 젖

줄이자 한국전쟁 최후의 보류였던 낙동강의 발원지라 하니 어마어마할 것 같지만 2,000평 남짓한 작은 공원에 있는 자그마한 연못이다(면적 비교의 대명사 여의도와 비교하면 대략 1/500 수준). 그다지 크지 않은 연못 바닥에는 무수히 많은 동전이 있다. 가운데 돌그릇에 동전을 넣으면 좋은 일이 생긴다고 하여 너도나도 던진 결과이다. 영남 사람들은 본인들이 마시는 물의 근원이 깊은 산 청정수가 아니고 사람들의 손때 묻은 동전 씻은 물이라는 걸 알까 모르겠다. 이렇게 자그마한 연못에서 시작하여 거대한 낙동강을 이룬다고 하니, 유독 이 동네 할아버지들은 '시작은 미약하나 그 끝은 창대하리라'라는 성경 구절을 자주 인용하여 설명하셨다. 머리가 크고 나서 생각해보니, 풍수지리 기반의 토속적인 신앙과 개신교 교리가 짬뽕을 이룬 이 비유가 웃겼고, 성경 속 해당 구절이 우리가 흔히 아는 의미와 달리 비아냥대는 말에서 나왔다는 사실에 실소가 머금어졌다. 일일이 바로잡아도 좋겠지만 '똥이요~ 말해도, 금이요~ 알아들으면 장땡.'이라고 했으니, 지금은 세상에 없으실 분들께 따져 고칠 필요 없이 그저 이 짧은 글에서 대강 정정 시늉하고 넘어가련다. 계속 남쪽으로 이동하면 동사무소, 시청 등 주요 시설들이 있고 황지동 남쪽 끝자락에 주공아파트 단지가 있는데, 그 일대가 내 인생 첫 기억이 오밀조밀 모여있는 곳이다. 우리 집은 5층 아파트의 2층에 있어 앞에 살짝 가린 단풍나무 위로 깨금발을 들어서 보면, 좌로는 단지 내 상가가 우로는 놀이터가 펼쳐져 있었다. 우리 집이 있는 통로의 옆 혹은 옆 옆 통로 1층에는 나와 동년배 여자아이인 정미가 살고 있었다.

정미랑 그렇게 친한 사이는 아니었던 것 같다. 동네에 애들이 넘쳐나는 시기였고 남자인 친구들이나 형, 동생들과 놀기에도 하루 이틀이 모자랐기 때문에 정미하고는 같이 놀며 친해질 일이 없었다. 부모님들께서는 근거리에 사는 주민이고 집안 첫째 나이가 같다는 공통점에 알고 지내시는 정도라고 기억한다. 그래서 사실 정미하고의 추억은 딱히 기억나는 것이 없다. 오히려 정미를 제외한 정미 가족들에 대해서 드문드문 작은 기억의 조각이 남아있다. 정미에게는 남동생 정섭이가 있다. 정섭이랑은 종종 놀았다. 워낙에 이러쿵저러쿵 많이 놀아서 일일이 기억나지 않을 뿐이지 분명히 자주 놀았을 것이다. 그럴 수밖에 없는 그 시절 그 환경이었다. 그런데 정섭이와의 일 중에서 특별히 뇌리에 남는 것은 정섭이 집에서 텔레비전을 보거나 게임을 하는 기억이다. 그저 만화영화를 봤는지 게임을 했는지 알 수는 없지만 나와 정섭이가 입 벌리고 한 화면을 쳐다보고 있는 장면이 마치 영화 속 스틸컷처럼 남아있다. 하고 많은 장면 중에 그 장면이 유독 기억나는 이유가 무엇일까? 가끔 생각해봤는데, 아무래도 그 장면 살짝 옆에 계신 정미 어머니 때문이 아닌가 싶다.

정미 어머니는 당시에 내가 아는 어른 중에서 가장 상냥하신 분이었다. 살면서 만나 뵌 여러 어른 중에서도 손에 꼽히실 정도로 상냥하신 분이시다. 이렇게나 오랜 세월이 지났는데도 정미 어머니를 떠오르면 상냥하게 웃으시며 내 이름을 부르시던 모습이 떠오른다. 잠깐 떠올려도 마음이 평안해지고 미소가 지어지는 장면이라고나 할까. 어릴 때부터 천방지축이었던 나는 이런저런 말썽을 피워 엄마한테도 자주 혼났다. 밖에서 놀다가 사고 칠 때는 동네 아주머니, 할머니들에게서도 잔소리를 들었다. 이러한 나에게 정미 어머니는 항상 상냥하게 미소 지어 주시는 분이셨다. 사실이냐 아니냐 따져 물으면 뭐라 증명할 순 없겠지만, 내 기억 속에 그렇게 저장되어 있다. 정미를 다시 만났을 때도 마치 자동 버튼이 눌러진 것처럼 정미 어머니의 상냥한 얼굴이 떠올랐고, 그 상냥하신 모습 그대로 정미 뒤에 서 계신 정미 어머니를 바로 알아챌 수 있었다. 마지막으로 정미 아버지는 잘 모르겠지만 우리 아버지와 비슷한 느낌이었던 같다. 우리 가족은 내가 국민학교 3학년을 올라갈 때 정선군 고한읍으로 이사를 하였고 그 후 춘천시에 정착하였다. 그래서 태백에서 살았던 시절 정미와 연결되는 기억은 이 정도뿐이다. 이런 밋밋한 기억들이 '추억'으로 탈바꿈될 수 있었던 것은 고등학교에 진학하면서 정미를 다시 만났기 때문일 것이다.

내가 진학한 고등학교는 도내에서 모집하는 학교였다. 나는 춘천에서, 정미는 태백에서 이 학교로 진학하게 되었다. 아직 입학하기도 전인 1월, 학교에서는 사전연수라는 이름으로 입학 예정생들을 한 달간 학교에 생활하도록 하는 프로그램을 시작하였고 그곳에서 정미와 다시 만났다. 7년이라는 시간 동안 서서히 조각나고 흩어지고 있던 정미네와의 기억들이 그 순간 정지하여 뇌리에 남아버린 느낌이었다. 별 볼 일 없을 것 같았던 어린 시절의 작은 기억들이 다시 '기막힌 추억'으로 탈바꿈되는 순간이었다. 더 많은 기억이 남아있지 않은 게 아쉬울 따름이다. 그 옛날 태백에서 정미네와의 일 중에 부모님께서 기억하시는 것들이 더 있지 않을까? 나중에 뵙게 되면 여쭤봐야겠다.

고등학교 3년 그리고 그 이후까지야 정미와 함께한 여러 추억이 남아있다. 해당 추억의 장면들에는 정미만 있지 정미 가족들은 없다. 고등학교가 춘천도 태백도 아닌 지역에 있었고 전원 기숙사 생활을 했기에 서로의 가족들과 마주칠 일은 거의 없었기 때문이다. 딱 한 가지 정미와 정미 어머니가 함께 기억나는 추억이 있어 여기에 마저 남겨보고자 한다.

고교 졸업을 하고 1년 반이 지난 대학교 2학년 여름방학 때의 일이다. 몇몇 고등학교 동기 들과 때에 따라 모였다 흩어졌다가 하며 강원도를 누비고 다녔다. 영월에서 동기 몇 명이 모였고 다음에 뭐 할지 생각하는 와중에 정미가 방학 차 태백에 내려와 있다는 소식을 들었다. 그래서 다른 고민 없이 정미를 만나러 태백에 갔다. KTX와는 비교할 수 없을 정도로 천천히 가는 기차를 타고 갔지만 정신없이 떠들면서 가다 보니 고속철도를 타고 간 것처럼 짧은 여정이었다. 늦은 오후 태백역에는 비가 내리고 있었고 역사에 내려서도 떠들고 있는 우리 입에서는 입김이 나왔다. 나로서는 어린 시절 이사한 이후로 처음 방문한 태백이었지만, 그 입김 하나로 많은 기억이 피부로 스며들어 와 행복했다. 다 같이 정미를 만났다. 지금 생각하면 참 무례한 짓이다. 소 떼 같은 놈들이 느닷없이 들이닥치니 정미 어머니께서는 얼마나 황당하셨을까? 이 마음을 다 크고 내 가정을 이룬 뒤 누군갈 초대할 때 되니 이해가 되었다. 그런데도 정미 어머니께서는 예의 그 상냥함으로 우리를 맞아주셨다. 밤새도록 따뜻한 곳에서 옛날얘기와 각종 게임 그리고 맛있는 음식들로 뒤엉킨 밤을 보낼 수 있었다.

지금은 그 추억에서도 한 참 멀어진 시기에 와 있다. 그사이 정미는 가정을 이뤄 멀리 해외에서 살고 있다. 아주 가끔 소식을 듣고, 그보다 더 가끔 안부를 묻고 있다. 누구보다 긴 세월의 인연을 함께하는 친구 정미여 늘 건강하길.

제3화 연탄 들어오는 날

안도현 시인께서 물으셨다.

"연탄재 함부로 발로 차지 마라. 너는 누구에게 한 번이라도 뜨거운 사람이었느냐."

9살의 내가 답했다.

"저는 연탄재 말고 아직 안 탄 새 연탄을 발로 찼는데요, 얘는 뜨거운 적 없었으니까 괜찮을까요?"

태백의 주공아파트에는 연탄보일러가 있었다. 그때는 이 집 저 집 다 연탄보일러였다. 초저녁이 되면 엄마는 뒤 베란다에 가신다. 보일러를 열고 우리에게 뜨거움을 선사해 주고 희끄무레해진 연탄재를 커다란 가위 같은 집게로 집어서 한편에 쌓아 놓으시고 까맣고 반들거리는 새 연탄을 집어넣으신다. 덕분에 추운 겨울에도 뜨끈한 방바닥에서 몸을 지지며 호사를 누릴 수 있었다. 시인의 일갈이 아니더라도 연탄 그리고 연탄보일러는 함부로 대하면 안 된다. 연탄이 타다 보면 일산화탄소가 나오는데 이게 제대로 배출되지 않고 실내로 들어오면 큰일이 난다. 가끔 동네 어르신들께서 삼삼오오 모여서 말씀하실 때가 있다. '저~기, 어디 어디 사는 누구 할머니, 어찌 가신 줄 알아? 뭐긴 뭐야. 그놈의 연탄보일러가 말썽을 일으켜서 그만 가스에 중독이 되어서 가셨지.' 심심찮게 연탄보일러 사고에 관한 소식을 들을 수 있었고 이런 이야기가 나올 때면 항상 다음과 같이 말이 따라왔다. '아니, 근데 발견하자마자 빨리 동치미 국물 자시게 해야지 그 집 아들은 뭐했데?', '아이, 뭐. 마침 그날 밤 아들 내외가 처가에 갔었다지 뭐야. 동치미고 자시고 발견이 늦어져서 뭐 손 쓸 수도 없었다지.' 그렇다. 연탄보일러 사고에는 항상 동치미 국물이 있었다. 당시에는 일산화탄소 중독 사고에 있어서 동치미 국물 투입 골든 타임이 매우 중요했다. 너도나도 빠른 동치미 투입이 생사를 가른다고 믿고 있었다. 우리 아버지는 유독 연탄보일러를 좋아하지 않으셨다. 좀 더 커서의 일이지만, 아버지는 여느 집들보다도 빠르게 연탄보일러를 기름보일러로 바꾸셨다. 그 후로 오랜 후 아버지께서 말씀해 주셨다. 내가 세상에도 나오기 전, 아버지와 어머니께서 만나시기도 전, 아버지께서 한창 젊으실 때, 할머니께서 연탄보일러 사고로 돌아가셨다는 것을. 연탄보일러 함부로 대하지 마라. 누군갈 뜨겁게 해주지만 잘못 대하면, 영영 차갑게도 한다.

그날은 새 연탄이 들어오는 날이었다. 아파트 단지에서 단체로 연탄을 주문하면 연탄장수 아저씨들은 트럭에 연탄을 잔뜩 싣고 와서 통로마다 가득가득 쌓아 놓았다. 그리고 순서대로 돌아가면서 집마다 연탄을 날라주셨다. 아니, 날려 주셨다. 지상에 있는 아저씨가 툭 허니 던지면 베란다에 있는 아저씨가 살포시 잡으신다. 1층에서 5층까지 어느 높이로 던져져도 항상 살포시 잡으셨다. 멈춤 없이 돌아가는 관람차처럼 두 아저씨는 그 많은 연탄을 각 가정까지 모셔다드리셨다. 그러나 그날 우리 집 앞에서는 그러실 수 없으셨다.

처음에는 가벼운 호기심이었다. 누구나 갖고 있는 어린 시절 장난기의 발동이었다. 눈 내린 날 어딘가 조용히 눈사람이 서 있으면 괜히 가서 깨부수고 싶을 때가 있지 않은가. 그냥 한 개만 부숴보고 싶었다. 고놈 생긴 게 참 잘 바스러지게 생기지 않았는가. 연탄장수 아저씨처럼 허공에다 던져보았다. 아차, 나는 살포시 받아주는 짝꿍이 없지. 바닥에 떨어진 연탄은 산산조각이 났다. '야, 이거 엄청 재밌다. 너도 부서 봐.' 동생에게도 권하였고 동생도 흔쾌히 연탄 한 장을 던져서 부숴버렸다. 그렇게 공범을 만들었다. 주먹질하고 발길질했다. 던지기도 하고 굴리기도 했다. 그 시간이 어떻게 지나갔는지도 모르겠다. 정신을 차리고 보니 잔뜩 쌓여있던 연탄들이 죄다 깨져 있었다. 어떤 건 애초에 구멍들이 있었는가 싶을 정도로 바스러졌고 좀 멀쩡해 보이는 것들도 귀퉁이 한 군데 정도는 깨져 있었다. 누가 보면 저기 저 아파트 통로가 광산 들어가는 갱도 입구로 보였을 것이다. 어둑해지는 저녁만큼이나 나와 동생도 어둑해졌다. 그날 밤은 어떻게 지나갔는지 잘 모르겠다. 생각보다 엄마한

테서 많이 혼나진 않았던 것 같다. 사람이 정신적 충격이 너무 크면 평소와 반대로 행동한다고 하지 않은가. 그때 엄마가 그러셨던 것 같다. 연탄 괴물들과 전쟁을 치르고 온 우리 모습을 엄마는 사진으로 남기셨다. 디지털카메라도 없던 그 시절, 굳이 카메라를 꺼내고 필름을 채워서 우리 모습을 찍으셨다. 그땐 몰랐다. 그 옛날의 잘못에 대한 벌을 먼 훗날 받을 줄이야.

얼마 전 부모님 댁에 가서 주변을 치우다가 옛날 사진을 모아놓은 앨범을 발견했다. 온 가족이 둘러앉아서 사진을 구경했다. 문제의 그 사진이 나왔다. 엄마가 그날 있었던 사건의 전모를 줄줄 읊으셨다. 두 며느리와 뭔 말인지도 잘 모르는 손주들 앞에서 말이다. 집에 돌아와서도 한동안 아내가 그 일을 가지고 놀려댔다.

'아, 어머니. 군자의 복수는 10년도 이르다더니, 20년도 더 지난 지금 이렇게 저를 꾸짖으시는군요. 이 아들 고개 숙여 사죄드리옵니다.'

제4화 교통사고는 삼세번

더할 나위 없이 맑은 어느 날 밖에서 신나게 놀고 있다가 청천 벽력 같은 소식을 들었다.

“야, 너 동생 교통사고 나서 병원 갔데!”

순간 정신이 멍해지고 앞이 캄캄해졌다. 어렴풋이 귓가에 울리는 소리들 가운데 어느 병원 이름이 나왔고, 난 무작정 뛰기 시작했다. 일순간 나의 뇌는 생각 회로를 정지하고 모든 뇌세포를 동원하여 감각 기관에 명령했다. ‘뛰어라! 병원으로 가야 한다.’

울면서 무아지경으로 달렸다. 순간 머릿속으로 엄청난 생각들이 터져 나왔다. ‘어, 뭐야. 여긴 어디? 그 병원은 어디 있는 거야? 아, 일단 빨리 뛰자. 얼마나 더 가야 하지?’, ‘이 자식은 어떻게 됐지? 빨리 가봐야 할 텐데. 엄마 아빠는 어디 계시지? 이게 도대체

무슨 일이지.', '아이 씨, 그놈은 뭐 하다가 사고가 난 거야 제기랄!', '젠장, 같이 데리고 놀았어야 했는데, 이게 뭐야.', '힘이 다 떨어졌나? 왜 발이 안 움직여지지.', '별일 아니겠지? 많이 다쳤나? 죽으면 어떡해? 난 외동아들 되기 싫은데.' 차마 다 기억 못 하고, 다 옮기지 못한 생각들이 봇물 터지듯 쏟아졌고, 머릿속에 꽉 찬 말풍선들은 이내 과부하를 일으키고 사고 정지 상태를 불러왔다. 그 순간 이성은 마비되고 감각이 온몸을 지배하기 시작했다.

모든 신경이 눈으로 모였다. 보도블록의 네모 네모가 끊임없이 펼쳐졌다. 멀리서 다가오던 작은 네모는 어느새 내 앞으로 커다랗게 나타나 내 발바닥을 밀어냈다. 그 옆으로 연석들이 줄지어 지나갔다. 하얀 분필 같은 연석들이 매우 빠르게 귓가를 스치고 지나갔다. 간혹 홈이 파이고 부러진 연석들이 나를 불편하게 했다. 반대편에는 알록달록한 상가들이 스쳐 갔다. 빨간 간판, 노란색 문, 어지러이 흩어지는 하얗고 까만 글씨들. 모든 색과 배열이 지나치게 인공적이라서 불편했다. 드문드문 상가와 상가 사이 공간 넘어 멀리서 보이는 푸르른 산이나 맑은 하늘이 날 달래 주었다. 쇼윈도의 마네킹과 눈이 마주쳤다. '너 여기서 뭐 하니 얼른 뛰지 않고?'

순간 보도블록이 끊어지고 콘크리트 바닥이 나타났고, 기름 냄새가 가득 들어왔다. 얼굴을 찡그림과 동시에 손을 들어 코를 막았다. 불편한 자세로 달리기도 잠시, 절로 손을 내리게 하는 참기름 내가 났다. 김밥을 마는 아주머니 손길 따라 주유소의 거짓된 기름은 밀어내고 고소한 참기름이 나를 위로했다. 거기에 오징어, 달걀, 김 말이 등 각종 튀김과 함께하는 식용유 냄새가 번졌다. 유혹에

지지않게 더 빨리 달음질쳤다. 기름내를 뚫고 가니 새로운 냄새의 장막이 걷혔다. 비릿하고 찌릿했다. 달걀노른자가 썩는 듯하면서 구수했다. 시큼한 향이 찌르듯 다가오다 이내 흩어졌다. 상쾌한 듯 알싸한 냄새 가루가 다가와 터졌다.

혼란스러운 감정 속에서 엄청난 두려움이 솟구쳤다. 그리고 스위치가 꺼진 것처럼 주저앉았다. 더 이상 발걸음이 떨어지지 않았다. 이성은 달아난 지 오래요 이젠 감각마저 사라져서 달려야 하는 이유도 의지도 없이 멍하니 서 있었다. 그때 무의식중에 스치고 가는 한 마디가 있었다. '교통사고는 삼세번이야.' 사람은 3번 교통사고가 나면 죽는다는 어느 친구의 말이었다. 말도 안 되는 소리라고 터부시하며 흘려들었던 말이지만, 그 순간은 흩어지지 않도록 억지로 붙잡았다. 쓰잘데기 없는 개똥철학에도 강제로 의미를 부여해야 했다. 그래야 나도 내 동생도 살 수 있었다. 내 동생은 이번이 첫 교통사고이기 때문이다. 그 녀석이 살기 위해서는 반드시 '교통사고는 삼세번'이어야 했다.

감각이 살아나고 이성이 돌아왔다. 병원 앞마당에 서 있었다.

그 외에는 기억이 안 난다. 병원에서 엄마를 만났었나? 난 어떻게 집으로 돌아왔나? 동생은 얼마 동안이나 병원에 있었지? 그날 하루 뭘 먹었지? 잠은 잘 잤었나? 그날의 풍경, 그리고 '교통사고는 삼세번'만이 뇌리에 남아있었다. 다행히 동생은 오토바이 백미러에 스치듯 부딪힌 가벼운 사고를 당한 것이었다.

제5화 무당개구리

아이들은 순수하다. 아이들의 말과 행동에는 순수함이 묻어나기 때문에 우린 그들에게서 동심을 발견한다. 하지만 그 순수함이 항상 착한 것만은 아니다. 때론 아이들은 너무나도 순진무구한 얼굴로 나쁜 행동을 한다. 물론 어른들이 봤을 때 나쁜 행동이다. 본인들은 나쁜 줄도 모르고 한다. 그러한 행위의 원천은 무엇인지 아리송하다. 본능이라고 하기에는 무얼 얻고자 하는지 잘 모르겠다. 아이들이 순수한 마음으로 자행하는 나쁜 행동을 나는 그냥 악한 동심의 발동이라고 표현한다. 누가 봐도 나쁜 행동을 한다. 그러나 표정에 어두움은 없다. 오히려 밝고 즐거워 보이기까지 한다. 어른들이 그렇게 행동한다면 사이코패스라고 했을 것이다. 그러나 아이들이기 때문에 이해가 된다. 아직 아이들은 사고, 생각, 마음 등 내면의 여러 가지가 조각조각 흩어져서 제멋대로 작용하기 때문에 그런 것이라고 내 나름 정리하곤 한다.

그 당시의 일은 지금 떠올려 봐도 정말 끔찍하다. 악한 동심이 발동된 전형적인 모습이다.

삼삼오오 모인 친구들과 무당개구리를 잡으러 갔다. 등은 진한 녹색이나 배는 선명한 주황색이고 전반적으로 까맣고 동그란 점무늬가 있다. 대략 어린아이 손만 하고 그렇게 날래지 않다. 그런 무당개구리가 한창인 시기였다. 가까운 개울가 근방 물이 고여있는 널찍한 웅덩이에 가니, 역시 놈들이 눈에 띄었다. 조용할 때는 찾기가 다소 어렵다. 그러나 막대기로 수풀을 때리거나 수면을 치면 놀란 녀석들이 펄쩍 뛰어오르고 주황색 배때기가 한눈에 들어온다. 그럼, 녀석이 내려앉은 곳으로 가서 잽싸게 낚아채면 그만이다. 무당개구리를 잡을 때는 꼭 지켜야 할 한 가지가 있다. 절대 눈을 비비면 안 된다. 동네 형들이 그랬다.

"야, 무당개구리 만진 손으로 눈 만지면 안 돼. 그 끈적끈적한 게 묻은 손으로 눈을 비비잖아? 눈멀어~ 절대 비비면 안 돼!"

형들 말이니까 맞는 말이긴 할 테다. 그러나 얼마 전에 다른 친구가 무당개구리를 잡다가 실수로 눈을 살짝 만졌는데 장님이 되지 않았다. 그냥 눈이 따갑다고 난리를 피웠고 이거 눈먼 거 아니냐고 호들갑을 떤 적이 있다. 눈을 세게 비비지 않아서 그런 건가. 아무튼 그 친구는 이번 개구리잡이 원정에도 함께하였다.

도롱뇽은 일단 찾기가 쉽지 않다. 찾는다 하더라도, 개구리들 보단 제법 날쌔기 때문에 잡기가 쉽진 않다. 청개구리는 너무 작고 색깔도 온통 초록이라 찾기가 어렵다. 두꺼비는 크고 느려서 잡기는 쉬워도 잡지 않는다. 너무 무서울 정도로 못생겼기 때문이다. 게다가 독이 있어서 피해야 한다. 두꺼비를 보면 피하기 바쁜데 왜 헌 집 주고 새집 달라고 친근히 노래하는지 모르겠다. 그에 비해 무당개구리 잡기는 식은 죽 먹기다. 열댓 마리를 잡아다가 비닐봉지에 넣어서 동네 놀이터로 가지고 왔다. 그리고 악한 동심이 발동되기 시작했다.

우선 몇 마리를 놀이터 모랫바닥에 던졌다. 그리고 모래를 뿌렸다. 한두 번 뛰던 개구리는 이내 모래투성이가 되어 뻗어버렸다. '캬캬캬캬, 저것 좀 봐.' 우리는 좋다고 웃었다. 친구 중 한 녀석이 모래투성이 개구리를 시소에 태웠다. 그리고 반대편에 앉았다. 개구리가 높이 솟구쳤다. '우와, 장난 아닌데?' 너도나도 개구리와 시소를 탔다. 그러다가 한 개구리가 시소 밑에 떨어졌고 시소의 의자 부분이 그 개구리를 덮쳤다. 개구리가 터졌다. 말 그대로 터졌다. 그 순간 누구도 움찔하지 않았다. 그저 터진 개구리를 먼저 본 녀석들이 다른 녀석들에게 알려줄 뿐이었다. '야, 저거 봐봐 개구리 배때지가 터졌어!' 사실 터진 개구리를 전에도 종종 봤다. 개구리가 많이 보일 때쯤이면 차에 밟히고 치인 개구리들을 종종 보았다. 가끔은 동네 고양이나 다른 포식자들이 그랬는지 모르겠지만 찢기고 뜯겨버린 개구리도 있었다. 죽은 개구리를 보는 것이 드문 일도 아니었기 때문에 그날 놀이터에서 배가 터진 개구리를 본 일이 놀라울 정도는 아니었다. 다만, 시소를 타다가 시소에 눌려서 터져 버렸다는 것이 좀 새로웠다. 남은 개구리들로 미끄럼틀도 타고 그네도 탔다. 어느덧 우리의 옷과 손은 시커멓게 더러워져 있었다. 바닥도 좀 검게 어두워지는 것 같았다. 이제는 헤어져야 할 시간이다. 저녁 만화영화 할 시간이다.

현관문을 열고 엄마의 잔소리를 듣는 순간, 아니 그보다 훨씬 더 전부터 내 뇌리에 무당개구리는 없었다. 모래 묻은 개구리, 배가 터진 개구리, 갖고 놀던 개구리 모두 놀이터에 두고 왔을 뿐이다. 어릴 때는 그랬다. 신기하게도 실컷 놀고 집에 돌아와 현관문을 여는 순간, 그날의 모든 일들은 따라오지 않고 잊혔다. 현관문이 쾅 닫히고, 새로운 저녁 시간이 시작되었다.

“오늘을 또 뭐 하고 놀았길래 이렇게 거지꼴이 됐어?”

“애들이랑 개구리 잡고 놀았어.”

“그래 얼른 씻고 만화 봐.”

“응, 엄마.”

이제는 안다. 개구리를 그렇게 한 것은, 잘못된 행동이다. 잘못을 알았으면 지금이라도 사과해야지.

개구리야, 무당개구리야. 미안해. 나중에 또 보면 같이 놀자.

제6화 방구차

“부와와아아앙”

“야, 어디야? 어디?', '모르겠어. 가까운 데 있는 것 같은데.”

“야! 저기 개코형 뛰어간다. 쫓아가자!”

개코형을 일찍 발견한 건 행운이었다. 우리는 울려 퍼지는 소리와 드문드문 흩어지는 냄새에 긴가민가하지만, 그 형은 달랐다. 그는 냄새의 띠가 보이는 사람이었다. 아주 가느다란 냄새라도 그가 붙잡는 순간 달아날 수 없다. 그를 따라가면 얇은 냄새의 실이 털실이 되고 리본이 되었다가 금세 동아줄 만해진다. 어느덧 그 냄새는 더 이상 선이 아닌 면이 되어 다가오다가 이내 입체로운 폭탄이 된다.

연막 소독 자동차, 일명 방구차가 나타났다. 야릇한 냄새. 일순간 엄마의 말이 스쳐 지나간다. '소독차 연기 너무 많이 마시면 몸에 안 좋으니까 막 따라다니면 안 돼.' 순간 뇌보다 다리가 먼저 멈칫한다. 그러나 코를 타고 들어오는 그 냄새가 곧바로 뇌를 지배하고 꼭두각시가 된 뇌는 다시 다리를 채찍질한다. 냄새의 끈이 코를 타고 들어와 코뚜레를 뚫은 마냥 나를 끌고 간다. 옆에는 나처럼 코뚜레 뚫린 동네 꼬마들 여럿이 같이 끌려간다. 뒤에는 더 많은 아이가 너도나도 코를 벌리며 뚫어 달라고 난리다. 그렇게 동네 꼬질이들 모두 나와 전신 소독을 한다.

방구차가 아파트 단지를 한 바퀴 휙 돌고선 근처 골목으로 간다. 따라갈 수밖에 없다. 그 냄새가 여전히 내 코를 걸고 놓아주질 않기 때문이다. 코뚜레를 미처 다 뚫지 못한 몇몇 아이들이 뒤처진다. 근처 사는 아이들이 조금씩 추가되기도 하지만 방구차가 황지동 끝자락을 향해 갈수록 남아 있는 아이들은 점점 더 줄어든다. 문득 불안감이 엄습한다.

"개코형, 이거 계속 마셔도 괜찮아?"

"야, 이거 많이 마시잖아? 피에 소독약이 남아서 여름에 모기가 안문데."

"와~! 진짜? 좋은 거네?"

피에 소독약이 남아 흐르는 무시무시한 상황은 생각지도 않고 그저 모기가 안 깨문다는 말만 철석같이 알아듣고 다시 힘을 낸다. 이제는 어디까지 왔는지 가늠조차 되질 않는다. 온몸이 연기의 실타래에 휘감겨 눈이 멀어버렸다. 주위가 온통 하얀 세상이었다. 저 연기는 그저 소독약일 뿐일 텐데 왜 이렇게 기분이 좋을까. 누가 혹시 몰래 다른 걸 탄 건 아닐까. 이것이 행복인가. '난 누군가 또 여긴 어딘가. 지금! 저 앞에서 연기가 날 부르고 있어. 난 누군가 또 여긴 어딘가. 이제! 우린 앞을 향해서만 나가겠어.'*

"캘~록! 캘록! 캘록!"

갑자기 목이 탁 막히며 기침이 나온다. 입에서는 침이 코에서는 콧물이 흐른다. 연기를 많이 마셔서인지 너무 오래 달려 숨이 차서 인지는 모르겠다. 극도로 흥분하여 이성이 마비된 채로 달리다 순간 각성이 풀리기 시작했다. 한계치를 넘어서 굴러가던 다리는 급격히 무너져 이내 털썩 주저앉는다. 여기 한 놈. 저기 한 놈. 그렇게 나까지 네다섯 놈들이 코뚜레에서 풀려났다.

"와~. 형! 여기 어디야? 완전 시골인데?"

"야, 우리 상장동까지 왔나 보다. 큰일 났네. 얼른 돌아가자."

즈그들이 사는 촌 동네보다 더 촌티 나는 태백시 귀퉁이까지 가서야 정신을 차렸다. 우리를 이끌던 방구차는 이미 사라져 보이질 않는다. 그저 허상이었던 것인가. 그 조그만 트럭과 대포 같은 살포기는 무엇이었는가. 동화 속 피리 부는 사나이의 환영이었던 것인가. 아직 정신이 다 돌아오진 않은 건가. 다행이다. 촌 동네라 돌아가는 길이 복잡하지 않구나. 엄마한텐 비밀이다.

*참고: 듀스, 우리는, 1993

제7화 쇠다마

우리 집 북쪽 넘어 단지밖에는 넓은 공터가 있었다. 맑은 날에는 숨바꼭질이나 잡기 놀이 등을 하기에 좋았고 눈이 오면 눈싸움하기에 최적의 장소였다. 공터 한쪽에는 낡고 녹슨 화물기차 몇 량이 버려져 있었다. 기차는 온통 녹이 슬었고 또한 까만 연탄 먼지를 뒤집고 쓰고 있었다. 커다란 것이 뻘그스름하고 우중충하여 아이들이 놀만할지 싶겠냐마는 놀거리가 풍족하지 않았던 그 시절 촌 동네에서는 그마저도 훌륭한 놀이터였다. 사실 다른 좋은 장소들 다 내버려 두고 공터에 가는 큰 이유가 있었다. 바로 '쇠다마'를 캐러 가기 위해서다.

버려진 기차는 많이 낡고 녹슬어서 쉽게 부서지는 부분들이 있었다. 게 중 많이 낡은 바퀴가 우리의 주된 공략 대상이었다. 주변에서 구한 돌멩이나 쇠막대기로 바퀴를 실컷 때렸다. '캉, 캉, 캉.' 두들기는 소리가 하늘로 퍼졌다. 버려진 기차에게는 심폐소생과 같은 생기를 돋우는 소리가 아니었을까? 잠시나마 그 옛날 갱도의 추억으로 돌아갔을지도 모르겠다. 실상은 철부지들이 제 몸을 깎아내리는 중이었지만 말이다. 바퀴의 바깥 부분이 깨지고 그 안에서 볼베어링을 얻을 수 있다. 스트레스 해소는 덤이다. 본격적인 작업은 여기서부터다. 볼베어링은 안쪽에 작은 고리와 바깥쪽에 큰 고리가 있고 그사이에 쇠다마들이 사슬 체인에 감싸인 채 자리 잡고 있다. 저 쇠다마들을 캐내기 위해 베어링을 마저 부숴야 한다. 낡고 녹슨 바퀴와 달리 베어링은 꽤 튼튼하다. 바퀴 안에 있었을뿐더러 대체로 기름이 덕지덕지 묻어있어서 녹슬어 있지 않았다. 손으로 살살 굴리면 쇠다마들이 고리 안에서 빙글빙글 잘 돌았기 때문에 보기엔 빼내기도 쉬울 것 같았지만, 막상 쇠다마를 빼기가 여간 어려운 게 아니었다. 이때부터는 연장이 필요하다. 공터 한편에 있는 창고를 샅샅이 뒤져서 망치, 드라이버, 송곳, 니퍼 등을 구해온다. 뒤지면 이런 것들이 나오는 곳에서 애들이 놀고 있다니 어처구니없는 일이다. 뭔지도 모르는 연장들을 대충 그 생김새로 용처를 어림잡아 마구잡이로 베어링을 쑤셔댔다. 상당한 시간이 필요하였지만, 남는 게 시간이었기에 열심히 하다 보면 결국 금쪽같은 쇠다마들을 캐낼 수 있었다. 이렇게 꺼낸 쇠다마는 대부분 녹 하나 없이 깨끗했고 심지어 번들번들 광택도 났다. 문구사에서 파는 다마들은 어딘가 모르게 조금씩 흠집 나고 찌그러져 있는데 베어링에서 꺼낸 쇠다마는 마치 이상적인 동그라미 같았다. 베어링 쇠다마는 당시 동네 다마치기 판에서 최상품으로 인정받았다. 다른 다마들은 한두 점이면 따지만 베어링 쇠다마는 열 점이나 스무 점 이상 쳐줬다. 장시간의 작업 끝에 최상급 쇠다마를 얻은 만큼 잃은 것도 있다. 손과 얼굴이 더러워졌고, 신발과 옷이 시커메졌다. 집에 가면 엄마한테 잔소리를 한 바가지 들어야 한다. 상관없다. 언제는 뒷일 생각하고 일 저질렀나.

인생은 참 아리송하다. 그 옛날 기차 바퀴에서 볼베어링을 꺼내 부수고 쇠다마를 캐던 촌놈이, 지금은 볼베어링을 비롯한 여러 기계요소를 공부하고 또 가르친다. 어린 시절 작은 고리, 큰 고리, 쇠다마, 사슬 체인이라고 불렀던 것을 내륜, 외륜, 볼 전동체, 유지기라 다시 익혔다. 요소 설계를 공부하다 어린 시절이 생각날 게 뭐람. 의식의 흐름은 쥐도 새도 모르게 책과 공부에서 멀어져 옛 추억에 잠겼다가 그 시절을 그려보는 시 한 편에 머물렀다.

요즘 재미 삼아 기계요소를 주제로 시를 하나씩 끄적이고 있다. 빙글빙글 돌아가는 나사, 판과 판을 이어주는 리벳, 동력을 전달하는 축 등등. 딱딱하고 투박해 보이는 기계요소들이지만 그 안에 감성을 담아 보려 한다. 잘 모아 보면 재밌는 자투리 시집 하나 되지 않겠나 싶다. 괴랄하기 그지없다. 하지만, 참으로 문학적인 공학도다운 모습 아니겠는가.

쇠다마

따귀를 후려치는 검은 분진에도
철마는 꿈을 품고 지하를 달린다.

울부짖는 핏덩이를 먹여 살리려
감기는 눈을 치켜세우고
가늘어지는 밤을 버텨왔나 보다.

소음 뒤엉킨 청춘의 황홀함을
먼발치에 내비두고
바퀴는 삐그덕 고개를 숙일지언정
다마만은, 다마 너만은 살리리다.

기름때 묻은 손을 마주 잡고
다마는 구른다.
녹슨 황혼의 철길을 따라
철마는 달린다.

제8화 꼭두각시

학예회 준비가 한창인 시기였다. 나는 꼭두각시 춤을 준비하고 있었다. 준비기간 내내 기분이 좋지 않았다. 짝꿍이 마음에 들지 않았다.

동작 하나를 연습한다. 여자아이는 바닥에 앉고 남자아이는 뒤에 서서 여자아이 어깨에 손을 올린다. 서로 고개를 돌려 왼쪽에서 한 번, 오른쪽에서 또 한 번 눈을 마주치며 웃는다. 이때 중요한 동작은 눈을 마주치며 고개를 계속 까딱까딱하는 것이다. 눈을 마주치며 웃어야 하지만 난 웃지 않는다. 선생님의 지적에 애써 입꼬리만 올린다. 까딱까딱하는 두 머리는 엇박자를 낸다. 위에 있는 머리가 딴생각에 사로잡혀 설렁설렁하고 있기 때문이다. 동작 둘을 연습한다. 바닥에 앉은 여자아이는 두 팔로 눈을 비비며 우는 시늉을 하고 남자아이는 난처한 표정을 지으며 뒤에서 여자아이 어깨를 주무른다. 여자아이의 우는 시늉이 너무 사실적이다. 어깨를 주무르기 싫다. 주무르는 척 툭툭 치기만 한다. 선생님께서 또 지적하신다. 동작 셋을 연습한다. 남자아이가 여자아이를 업고 서로 행복해하며 돌아다닌다. 힘들다. 짝꿍이 나보다 키도 크고 덩치도 크다. 이 촌에서 살면서 재는 어찌 저리 잘 컸는지. 업힌 아이는 재밌어 한다. 업고 있는 아이는 죽상이다. 다리가 후들거리다가 이내 주저앉는다. 여자아이와 선생님의 핀잔을 듣는다.

다시 연습한다. 모든 게 마음에 들지 않아 속은 죽을 맛이지만, 선생님께 혼나고 싶지는 않아서 꾸역꾸역해낸다. 선생님의 손가락질을 받으며 감정과 느낌이 사라진 율동을 한다. 꼭두각시 춤을 춰야 하는데 그저 꼭두각시가 되어 허우적거리고만 있다. 최종 예행연습을 마치고 선생님께서 꼭두각시가 된 나를 불러 말씀하신다. '넌 왜 계속 로봇처럼 딱딱하게 율동하니?' 나 로봇 아닌데, 꼭두각신데. 흥칫. 속마음을 들킬세라 눈을 내리깔고 몸을 비비 꼰다. 망설이고 망설이다가 겨우 한 마디 내뱉는다.

"저, 짝꿍이 싫어요."

결국 학예회 때는 다른 친구로 짝꿍을 바꿔서 공연했다. 실컷 연습 다 해놓고 이게 뭐람. 짝이 바뀐 네 아이 그리고 선생님까지 언짢은 상황을 초래하였다. 조금만 더 일찍 선생님께 말씀드릴 걸 그랬다. 나에게서 '후회'가 묻어나는 가장 오래된 장면이다. 하나 후회한들 무슨 소용인가. 다 지나간 일인데 말이다.

어렸을 때는 다들 그러는 거라고 어설프게 변명하고 싶지 않다.

지금의 나(39)는 30년 전의 그(9)를 철저히 변호하고자 한다. 존경하는 재판관님, 당시 그(9)의 잘못을 꾸짖기에 앞서 그러한 행동이 초래된 근본, 즉 그(9)의 기질을 이해하실 필요가 있습니다. 당시 그(9)는, 속으로는 싫고 짜증 나면서도 겉으로 내색 못 하고 자주 망설이는 유형으로 발달하고 있었습니다. 지금의 내(39) 기준으로야, 당시 행동은 본인의 우유부단함으로 여럿을 피곤케 하는 어리석기 짝이 없는 행위입니다. 후회해야 함이 마땅하다고 말씀하시지만, 후회라는 건 뒤늦게 깨달은 바를 기준으로 과거를 판단하는 것일 뿐 아닙니까? 그 당시로 돌아가, 다시 그 상황을 맞닥뜨린다 한들 제 결정은 반복될 뿐입니다. 모든 순간의 선택은 내(9)가 했습니다. 나(9)는 그렇게 생겨 먹었기 때문에 그런 선택을 한 것이고, 그때의 내(9) 선택 이외의 모습들은 결국 나의 것이 아닐 것입니다. (변호인, 늘어지는 개똥철학을 계속 듣기 힘들군요) 아, 시정하겠습니다. 중요한 것은 그런 어설픈 선택과 모자란 모습들도 결국 내 일부라고 시인한다는 점입니다. 성장기 시절의 아주아주 소소한 어설픔에도 불구하고 반성하고 있습니다. 단지 후회에 머물러 있다면 쓸데없는 걱정만 늘어질 뿐이지, 우리 사회에 긍정적인 요소를 조금이라도 가져올 수 있겠습니까? 저(39)는 그저 다음에는 그러지 말고 더 나은 선택과 모습은 무엇일지 (아주 잠시나마라도) 생각해보고자 합니다. 물론 그러고도 비슷한 실수를 반복하지 않으리라는 보장을 못 하겠습니다만, 아주 조금은 그 빈도를 줄일 수 있지 않겠습니까? 사실, 솔직히 말씀드리면, 그런들 어쩔 수 없다고 생각합니다. 그게 저니까요. 전 그런 저 자신을 인정하고 좋아하면 그만입니다. 저라도 좋으면 우리 사회에 티끌의 때만큼의 긍정적 요소는 발휘된 것 아니겠습니까!

삶은 선택의 연속일지언정 후회의 연속이라 생각하지 않는다. 꼭두각시 같은 삶을 살지 말자. 나는 내 삶 속에서 꼭두각시 춤을 추는 주인공이다.

제9화 딱지 전쟁

누군가가 '시작'이라고 외친 적도 없다. 절기처럼 특정 시기에 정기적으로 하자는 약속도 아니다. 그저 매일 만나서 노는 아이들 사이에 오가는 말과 눈빛에서 자연스레 느껴지는 것이다. 묘한 신경전, 경쟁심 가득한 눈빛, 전쟁이 다가오고 있다는 긴장감. 동네 꼬맹이들 모두가 알았다. 곧 딱지 전쟁이 시작된다는 것을.

어른들의 월동 준비만큼이나 철저한 준비가 각 가정에서부터 시작된다. 아무래도 형제가 있는 집이 조금 더 유리하다. 그렇다고 외동이거나 누나, 여동생만 있는 애들이 항상 불리한 건 아니다. 걔들은 부모님이 도와주는 경우가 종종 있기 때문이다. 아이들 전쟁에 어른들이 개입하다니, 반칙이다. 허나 심증은 있어도 물증은 없다. 상관없다. 열 배, 스무 배 더 준비하여 실력으로 넘어서면 된다.

좋은 재료 확보가 최우선이다. 딱지를 접기 위한 최적의 종이를 찾아야 한다. 가장 흔하게 구할 수 있는 신문지나 갱지는 안 된다. 종이가 너무 흐물거려서 딱지로 접어도 상대 딱지를 넘길만한 힘을 내지 못한다. 또한, 습기에 약하여 장기전에도 좋지 않다. 간혹 아주 얇게 딱지를 접어 오는 애들이 있다. 공격은 못할지언정 못 넘기게 하겠다는 작전이지만 고품질의 딱지를 지닌 고수 앞에서는 얄팍한 술수일 뿐이다. 얇은 딱지는 두께감 있는 비슷한 크기의 딱지로 정확히 맞추면 내리친 딱지에 착 달라붙어 한 몸이 되어 뒤집어진다. 간혹 짝수번 뒤집혀 원위치가 되는 경우도 있지만 언젠간 뒤집어진다. 만면에 그 얇은 딱지로는 조금이라도 무게감 있는 딱지를 죽어다 깨나도 못 뒤집는다. A4용지는 B급이다. 중하수 구간에서 얼추 몇 번 딱지는 칠 수 있다. 허나 고수 레벨에서는 버티는 힘도 넘기는 힘도 조금씩 부족하다. 사실 이러 저런 걸 떠나서 A4용지는 당시엔 구하기 힘든 비싼 종이였다. A4용지로 딱지를 만들어 나왔다간 멍청한 부르주아로 놀림만 받을 뿐이다. A급 딱지를 만들기 위해서는 코팅지가 필요하다. 잡지책 표지나 질 좋은 월간 달력이 그런 종류이다. 빳빳하여 딱지로 만들었을 때 힘이 좋다. 또한, 코팅이 되어 있어서 내구성이 강해 장기전도 잘 버틴다. 박스 종이는 제외다. 딱지로 접기도 힘들뿐더러 대체로 지나치게 커서 껴주질 않는다.

S급 딱지는 종이로 결정되지 않는다. A급 딱지에 대한 무수한 담금질을 통해 S급 딱지가 탄생한다. 좋은 코팅지로 잘 만들어진

딱지를 사전이나 아령같이 무거운 물건으로 하룻밤 정도 눌러줘서 최대한 납작하게 만든다. 이렇게 잘 눌린 A급 딱지를 가지고 밖으로 나가서 골목길 아스팔트 위에 잘 올려놓는다. 그리고 자동차가 지나가길 기다린다. 이때 일반 도로는 안 된다. 위험하기도 하겠지만 대체로 차가 빨리 다녀서 딱지가 쉽사리 망가진다. 길이 험한 골목길도 안된다. 바닥이 울퉁불퉁해서 잘 만든 딱지를 베린다. 담금질 강도는 차가 천천히 지나가고 바닥이 고운 아스팔트 골목이 제일 낫다. 주의할 점이 하나 더 있다. 티코가 오는가 싶으면 재빨리 거둬야 한다. 차 무게가 가벼워서 눌림이 별로인 탓도 있겠지만, 왠지 모르게 티코가 밟으면 부정 탄다는 미신이 있었다.

차가 지나간다. 앞바퀴가 밟는다. 이어서 뒷바퀴가 밟는다. 얼른 가서 딱지 상태를 살펴본다. 잘못 놓아서 일부분만 눌린 닦지는 못 쓴다. 사실 못 쓸 정도는 아니다. 그러나 초고수들의 싸움에서는 그 미세한 불균형이 승부를 가르곤 한다. A급은 필요 없다. 오직 S급만을 원할 뿐이다. 난 초고수가 될 거니까. 담금질 과정에서 망가지는 딱지가 생겨도 아쉬워하지 않는다. 오히려 저급 딱지를 걸러낼 수 있음에 안도한다. 대략 대여섯 번의 담금질을 거친 딱지가 S급의 자격을 얻는다. 손으로 느껴본다. 마치 태초부터 딱지 형태로 존재한 한 몸체인 것 같다. 어떠한 힘이 가해져도 찢기거나 망가지지 않을 것 같다. 그 어떤 칼도 벨 수 없고, 그 어떤 총도 뚫을 수 없을 것 같다. 드디어 S급 딱지가 탄생한 것이다.

이제 딱지 전쟁에 참전을 선언한다.

우선은 주변의 아이들과 딱지치기한다. 아직 S급을 꺼낼 필요는 없다. 나의 날카로우면서도 힘 있는 딱지치기 기술이 있기에 A급 딱지로도 충분하다. 하나둘씩 가지고 있는 딱지를 잃어가고 나에게 딱지가 모인다. 십여 개 이상의 딱지가 모이면 전쟁의 범위를 확장한다. 다른 곳에 모여있는 전쟁터에 참전을 선언하고 딱지를 친다. 처음에는 부실한 딱지로 상대의 실력을 가늠해 본다. 적당히 견적이 나오면 쓸만한 A급 딱지를 가지고 하나씩 정복한다. 간혹 상대의 딱지 크기에 따라 다른 딱지를 낼 필요가 있다. 전투에 임하는 전략도 슬슬 중요한 단계가 된 것이다. 별다른 위기 없이 이번 전장에서도 승리를 가져온다. 당연한 순서다. 그저 더 큰 무대로 가기 위한 발판일 뿐이다. 다만 이 과정에서 몇몇 놈들과 연합을 맺는다. 많은 수는 필요 없다. 딱지치기 실력이 괜찮으면서도 믿을 만한 녀석으로 2~3명 정도면 적당하다.

단지 내 좀 떨어진 동으로 원정하러 간다. 멀리서 그들이 우리를 탐색한다. 우리가 가진 딱지의 규모 그리고 우리의 기세를 보고 그들 중 적당한 수준의 무리가 다가온다. 긴말은 필요 없다. 딱지치기에 돌입한다. 만만치 않은 상대다. 우리 팀이 딱지를 잃어간다. 더군다나 여긴 그들의 홈구장이다. 상황을 반전시켜야 한다. 나와 나의 S급 딱지가 출전할 차례다. 나와 나의 S급 딱지는 강하다. 흐름이 순식간에 우리 쪽으로 넘어온다. 어느 정도 승리를 챙겨 갈 때쯤 다시 뒤로 빠진다. 진정한 고수는 상대에게 흐름을 넘겨주지 않는 선에서 적당히 빠져 재충전의 시간을 보낼 줄 알아야 한다. 마지막을 장식하기 위한 숨 고르기일 뿐이다. 나의 동료들이 내 기세를 이어받아 활약한다. 대세는 이미 우리 쪽으로 많이 기울었다.

마무리하러 다시 나선다. 나의 S급 딱지도 많이 해졌다. 마지막까지 힘을 내다오. '이야 앗. 팍!' 적의 마지막 딱지가 허공에 뜬다. 한번, 두 번, 세 번, 네 번, 공중에서 거듭 회전한다. 짝수 번 돌면 나가리다. '탁' 임무를 다한 두 딱지가 내려온다. 상대 딱지의 뒷면이 드러난다. 전리품을 챙기기엔 주머니만으로는 부족하다. 어느 틈에 한 친구가 박스를 구해왔다. 보물섬의 황금을 쓸어 담는 양 딱지들을 주워 담는다. 돌아오는 길에는 내일의 계획을 세운다. 다음 목표는 다른 아파트 단지 진출이다.

내일의 해가 밝았다. 등굣길에 전날 챙긴 딱지들을 숨겨놓은 곳을 살펴본다. 믿을 만한 친구네 집 통로 지하에 안전하게 보관되어 있다. 오늘따라 수업 시간이 길게 느껴진다. 쉬는 시간에 다른 단지에 사는 친구를 만나 의기양양하게 선전포고한다.

"학교 마치고 너희 동네로 갈게."

하굣길에 먼저 집에 간 친구가 헐레벌떡 되돌아오는 게 보인다. 조짐이 좋지 않다. 친구가 소리친다.

"야, 큰일 났어. 빨리 가봐!"

전속력을 다해 뛰어간다. 말하지 않아도 어디로 가야 할지 안다. 딱지가 있는 곳. 도착하여 현장을 보는 순간 맥이 빠지고 주저앉는다. 서러움에 눈물이 난다. 소리를 지른다. 모두가 한마음으로 분함을 감추지 못한다. 누군가 우리들의 딱지를 꺼내어 불에 태워 버렸다. A급들은 죄다 타버려 까맣게 재가 되었다. S급들은 코팅 덕에 형태는 유지했으나 너무도 많이 손상되었다. 무기를 잃은 장수는 더 이상 전쟁에 나갈 수 없다. 이대로 전진을 멈춰야 한다니, 분하고 분하다. 허나 누구를 탓하랴. 보안에 더 신경 쓰지 못한 우리의 잘못이다. 인제 와서 범인을 색출하는 것도 무의미하다. 우리의 부실함만이 더 드러날 뿐이다. 아쉽지만 집으로 발걸음을 돌린다. 오늘은 더 이상 밖에 나갈 수 없다.

다음날, 약속한 전쟁에 참여하지 못한 죗값을 받는다. 하루 종일 놀림과 핀잔이 이어진다. 속이 부글부글 끓지만 참아야 한다. 여기서 화를 내면 우스워진다. 조용히 인내하며 기다릴 뿐이다. 다음 전쟁의 기류가 다시 맴도는 그때까지.

제10화 잠자리 날아다닌다

주황 노을빛이 제법 길게 늘어졌다. 허공에 가득했던 잠자리들이 서서히 지쳐 나뭇가지마다 내려앉고 하늘은 주황빛을 접어 붉게 타다 이내 어두워진다. 가을이구나.

아침이 밝았다. 아직은 잠자리 잡을 때가 아니다. 점심이 지날 때까지는 다른 놀이를 하며 시간을 보내야 한다. 미끄럼틀, 시소, 그네 슬쩍슬쩍 건들어 보지만 다 재미없다. 해가 점점 높아가니 덥기만 하다. 집에 돌아와 평소보다 이른 시간에 점심을 먹어치우고 거실 바닥에 누워 이리 뒹굴 저리 뒹굴 온몸으로 무료함을 표출한다. 높이 솟은 저 해에다 실을 꿰어 얼레에 달아 돌돌돌 감아 내리고 싶다.

드디어 정수리의 해가 슬그머니 기울고 머리 위 공기가 살랑살랑 춤을 추기 시작한다. 장군이여, 무기를 챙기고 사냥을 시작하게나. 온갖 잠자리들이 하늘 가득 날아다닌다. 나에게도 마법 피리가 있어서 저 잠자리들을 자유자재로 불러 모을 수 있으면 얼마나 좋을까. 아차차, 장군이여! 요행을 바라면 안 되오. 마법 피리보다 훌륭한 잠자리채가 있지 않소. 잘 말라 누런 대나무 막대가 손에 착 감긴다. 촘촘한 그물망은 새털구름도 삼킬 요량으로 할랑거린다.

어린아이 손가락만 한 된장잠자리는 가장 흔한 녀석이다. 대체로 잡았다가 하면 된장이다. 간혹 꼬리가 빨간 고추잠자리도 보인다. 그보다 더 드물게는 날개 끝에 까만 띠를 가진 두점박이좀잠자리도 보인다. 얘네들은 나뭇가지에 잘 앉았기 때문에 잡기가 쉬웠다. 채를 잘못 휘둘러 놓쳤나 싶다가도 이내 근처 나뭇가지에 다시 앉기 때문에 잘 지켜보다가 낚아채듯이 잠자리채를 휘두르면 어렵지 않게 잡는다. 밀잠자리는 이들보다 더 커서 대략 어른 손가락만 하다. 암컷은 된장잠자리가 조금 커진 모습이라 그다지 주목할 게 없지만, 수컷은 온몸이 푸른빛이 도는 흰색이라 특이했다. 밀잠자리는 물가 근처에서 자주 발견되고 나뭇가지 위에 앉기보다는 평평한 바위나 나뭇잎 위에 자주 앉는다. 그래서 얘네들을 잡을 때는 낚아채면 안 되고 뒤덮어서 잡아야 한다. 눈치가 빠른 편이라 잡기가 쉽진 않다. 다른 잠자리들보다 월등히 큰 왕잠자리들은 보통 높은 상공을 날아다녀서 거의 잡을 수가 없다. 키가 좀 더 자라고 잠자리채도 더 길면 잡을 수 있지 않을까 생각했지만, 아파트 2, 3층보다 더 높이 난다는 동네 형들 말에 금방 포기한다. 가끔가다 수풀 사이에서 전날 죽은 듯한 왕잠자리 사체를 발견할 때가 있다.

슬쩍 채집통에 넣어서 마치 잡은 양 행세를 한다. 날개가 새까맣고 온몸에서 반짝이는 푸른색이 나는 물잠자리는 개울가 근거리에서만 찾을 수 있다. 이쁘게 생겨서 인기가 많았지만, 다른 잠자리들과 달리 허약한 편이라서 채집통에 넣어두면 금방 죽어버렸다. 가끔 허공에 반짝거리는 빛을 따라가다 보면 실잠자리를 발견할 때도 있다. 이 녀석은 툭 건들기만 해도 죽어버려서 잡는 맛이 영 별로였다.

어느덧 해가 더 기울어 먼 산 위에 걸려있고 하늘은 주황빛 노을에 황홀해진다. 점점 시야가 어두컴컴해서 저기 저 잠자리 꼬리가 된장인지 고추인지 아니면 밀인지 분간이 안 가고 그저 꺼먼 그림자처럼만 보인다. 어쩌면 잠자리들은 멀리 집으로 돌아가고 그림자들만 남았을지도 모른다. 우리네 그림자도 바닥에 축 늘어져 나보다 먼저 집으로 향해 가고 있다. 채집통 가득 들어선 잠자리들을 자리싸움을 하느라 푸드덕거린다.

"엄마~, 잠자리 이만큼 잡았다!"

"그래, 잘했네. 얼른 들어와 씻고 밥 먹어."

베란다에서 나를 기다리시는 엄마에게 채집통을 번쩍 들어 자랑하고 얼른 집으로 들어간다. 나도 집에 돌아왔으니 이 녀석들도 보내줘야지. 방금 엄마가 계셨던 베란다로 가서 채집통 뚜껑을 연다. 아직 팔팔한 녀석들은 꽁지가 빠지도록 도망친다. 날개가 젖은 마냥 기운이 없는 녀석들은 베란다 앞 단풍나무 이파리 위에 우수수 떨어진다.

"엄마, 얘네들은 다 죽은 거야?"

“아냐~. 거기서 쉬다 보면 다시 기운 차리고 날아갈 거야.”

잠자리들이 기운을 차리는지 밤새워 지켜봐야겠다고 다짐하지만, 씻고 밥 먹고 텔레비전을 보다 보니 어느새 까맣게 잊고 만다. 다음 날 아침에 번뜩 생각이 나서 얼른 베란다로 나가 단풍나무 위를 살펴본다. 그 많던 잠자리들이 하나도 안 보인다. ‘엄마 말이 맞나 보네.’

잠자리들아 이따가 또 보자.

2장

촌놈 @고한

제11화 학교로 내려가는 길

고한에서 살았던 당시 우리 집은 5층짜리 아파트였다. 2동짜리 단지로 이루어진 이 아파트는 신기하게도 산 중턱에 있었다. 학교까지 가기에는 거리도 다소 멀고 험해서 단지에서 마련한 봉고차를 타고 다 같이 등교했다. 그러나 눈이 많이 내린 날에는 차량 운행이 불가능했기 때문에 어쩔 수 없이 걸어서 가야 했다.

단지 입구를 나오면 다소 가파른 경사가 있다. 밤새 눈이 꽤 쌓여서 발이 푹푹 들어갔기 때문에 미끄럽지는 않았다. 다만, 무릎까지 눈이 덮이는 꼬맹이들은 걷는 것 자체가 힘들었다. 그 경사 바로 아래에는 허름한 집이 한 채 있었다. 그 집에는 개 한 마리가 살고 있었는데, 사실 그 집에서 산다기보다는 그곳을 기점으로 온 동네를 활보하는 똥개였다. 이 개는 사람을 워낙 좋아해서 대문의 파수꾼이 되기는커녕 야밤의 도둑놈에게도 친구 하자고 덤빌 녀석이었다. 한때는 이놈이 발정이 나서, 지나가는 사람만 있으면 붙잡고 발뒤꿈치에 거시기를 비벼댈 때가 있었다. 며칠을 그렇게 다니다가 결국 건넛마을 어느 집 늙은 개의 배를 불리고 나서야 멈췄다. 눈이 많이 내리는 날이면 녀석도 휴업이다. 불러도 끼잉 끼잉 앓는 소리만 낼뿐 코 막고 잠만 잔다.

그 집에서 좌로 가면 쭈욱 도로가 나온다. 평소 봉고차는 이 길로 가지만, 걷기에는 많이 돌아가는 길이기 때문에 우측으로 빠진다. 그러면 바로 공터가 나온다. 탄광촌이라 그런지 까만 돌과 흙으로 덮인 공터였다. 신기한 건 여기서 어른들이 무나 배추 같은 채소를 키웠고 나름 잘 자랐다. 까만 바닥과 푸른 채소들의 대비가 인상적인 밭이었다. 여기까지 상당히 용을 쓰고 내려왔기 때문에 다들 땀이 삐질삐질 난 상태다. 물론 눈 왔다고 겹겹이 싸매고 나온 탓도 있다. 제 것인 마냥 무를 하나 뽑아서 흙을 턴다. 깨끗한 눈을 바르고 비벼서 남은 흙 자국을 지운다. 앞니를 높이 세우고 겉껍질을 갉아낸다. 새하얀 속살을 한 입 베어 문다. 여기까진 어른들이랑 같다. 어른들은 이러고 나서 '어흐~ 시원하다.'라고 하신다. 그러나 나는 시원하지 않다. 쓰고 맵다. 초겨울이 되도록 뽑지 않고 내버려 둔 이유가 이것인가. 안에 든 무즙만 조금 쭙쭙 빨아먹고 이내 뱉어버린다. 머리채 같은 무청을 잡고 빙빙 돌리다가 휙 던져버린다. 괜한 화풀이다.

공터를 가로지르면 한 구석에 아래로 내려가는 샛길이 나온다. 말이 샛길이지 낮은 등산로라고 해도 무방할 정도로 거친 길이다. 거친 길에 눈까지 쌓여서 다들 매우 조심조심 내려간다. 동생들 손이라도 잡아주면서 내려가야 하지만 내 몸뚱이 하나이고 가기도 벅차서 이럴 때면 내리는 눈보다도 차가워진다.

"형아, 좀 도와줘."

"야 인마, 이런 길도 혼자 내려가야 너도 형아 되는 거야."

맑은 날 달음질이면 찰나에 갈 거리를 억겁의 시간이 걸려 내려오면 저만치서 학교 후문 쪽으로 가는 길이 보인다. 고한의 국민학교도 태백에서와 마찬가지로 후문 일대가 아이들의 유흥 터였다. 태백에서와 비슷비슷한 간식들과 오락기들이 널려있다. 오락 한판 하고 싶은 마음이 굴뚝같지만, 오늘은 그냥 지나친다. 눈이 내린 날에는 더 재밌는 일이 운동장에서 기다리고 있기 때문이다.

일찍 온 친구들이 먼저 설원의 축구를 하고 있다. 골대 옆에 가방은 내팽개치고 공을 찬다. 아직 눈이 쌓이고 밟히지 않는 곳에 공이 떨어지면 푹 박혀 버린다. 서로 공을 차지하려고 평소 흙바닥에서는 하지 않는 슬라이딩을 한다. 쌓인 눈 덕분에 몸을 날려도 아프지 않다. 아니다. 뭘 해도 아프지 않을 만큼 기분이 솟구쳐져 있다. 골대 근처는 여러 아이가 밟고 다져 놔서 빙판 저리 가라다. 공은 가만있는데 서로 허공에 발길질하며 넘어진다. 웃음이 넘쳐난다. 어디에 맞았는지도 모를 공이 삘삘 골문 안으로 들어간다. 골문안에 쌓인 눈 때문에 공이 멈춘다. 서로 골이니 아니니 하면서 우긴다. 그사이 한 녀석이 냉큼 공을 반대편 골대 쪽으로 차 버린다. 언제 싸웠냐는 듯 다 같이 공을 향해 돌진한다. 설원 위 눈밭 축구로 시작하여 빙판 축구로 바뀔 때쯤 책임감 강한 누군가가 소리친다.

"야~! 이제 곧 조회 시간이야!"

책가방을 챙겨 들고 빠른 달음으로 교실에 들어간다. 조회부터 기진맥진하고 옷도 많이 더러워졌다.

오늘 하루 어떻게 버티지? 어쨌든 등교 끝.

제12화 진경이와 전학생

엄석대를 만났다. 소설 속이 아닌 현실에서 말이다.

강원도 태백시에서 정선군 고한읍으로 이사를 했다. 국민학교 3학년을 올라갈 때였다. 당연히 '시'보다는 작은 '읍'이었지만 도긴개긴이었다. 소설에서처럼 큰 낙차를 느끼진 않았다. 태백에서의 학교와 규모가 크게 다르지 않았다. 총 4반 중 어느 한 반에 배정되었다. 2학년 때 같은 반이었던 아이들은 3학년이 되어서도 같은 반이 되었고, 거기에 내가 추가된 것이다. 긴장한 전학생과 호기심 가득한 기존 아이들 그리고 일부의 무관심으로 이루어진 평범한 전학생 소개 시간으로 새 학년 새 학기가 시작되었다. 아니, 틀렸다. 평범하지 않았다. 보는 듯 마는 듯, 호기심 어린 듯 아닌 듯, 아이인 듯 어른인 듯, 어딘가 애매한 인간이 하나 있었다. 그 이름도 찬란한 김진경이다.

국민학교 아이들은 애매하다. 특히 본능적인 움직임에서 그러하다. 젖먹이 아기들은 '본능'의 화신이다. 자신이 필요한 모든 것을 그들이 가진 단 하나의 무기 '울음'으로 표현한다. '난 운다, 어른들이 알아서 내 요구를 맞춰줘라.'라고 시위한다. 누가 가르쳐주지 않아도 엄마의 젖꼭지를 향해 돌진하고, 때론 지나쳐서 깨물기도 한다. 자라서 어린이가 되면 어느 정도 '이성'을 맛보게 된다. 부모님과 어른들이 외치는 무수한 '하지 마!'의 결과이다. 그러면서 어린이들은 이성과 본능의 줄타기를 한다. 하면 안 되는 것을 알면서도 저지른다. 자기도 모르는 사이 문제가 생기고 그저 울어버리기도 한다. 어찌 됐든 청소년 혹은 어른보다는 '본능'에 민감하다. 이야기 흐름에 따라 굳이 더 언급할 필요는 없지만 비 맞은 중 마냥 더 떠들어 본다. 청소년기에는 어느덧 더 많은 '이성'을 터득하여 '본능'을 누르게 되나, 이차 성징과 더불어 이따금 '본능'이 재점화되면서 혼란을 겪게 된다. 물론 방구석 돌팔이 약장수의 개똥철학이다.

전학 간 첫날 젖꼭지를 찾던 본능이 강하게 발휘되었다. 진경이는 다른 아이들과 색채가 달랐다. 다른 아이들보다 조금씩 더 진한 색깔을 나타내고 있었다. 진경이는 다른 아이들보다 컸다. 실제로는 보통의 크기였지만 감싸고 있는 아우라가 더 크게 만들었다. 진경이는 누구보다도 총명해 보였다. 나중에 안 사실이지만 실제로 진경이는 가장 성적이 우수한 아이였다. 누가 설명해 주지 않아도 본능적으로 느낄 수 있었다. 아니, 그런 느낌을 당했다고 해야 하나.

그다음 날에는 본능이 느낀 바를 이성의 눈으로 확인할 수 있었다. 일찌감치 학교에 갔다. 진경이는 아직 오지 않았다. 그러나 주인이 오지 않은 책상 위에 귤이며 과자 등등 주전부리가 놓여있었다. 진경이가 등교했다. 진경이는 대수롭지 않은 듯 주전부리들을 정리하여 주위 친구들과 나눠 먹었다. 뒤늦게 온 아이들 몇몇이 계속 간식을 전해줬다. 아직도 생생한 국민학교 3학년 두 번째 등교날의 풍경이다. 물론 그 장면만 있었던 것은 아니다. 몇몇 아이들이 나에게 다가와 이것저것을 캐물었다. '어디서 왔니?', '너희 집은 어디니?', '너 형이나 동생 있니?', '난 OO이라고 해, 친하게 지내자!' 전학생이 받을 법한 말들이 오가는 틈에서 불쑥 한 녀석이 말했다. '진경이가 너도 이거 먹으래.' 귤, 그래 확신할 순 없지만 귤인 것 같다. 귤 하나가 내 손에 전달되었고, 진경이를 쳐다보았다. 진경이는 짧게 웃었고, 난 그 뒤통수를 보며 귤을 까먹었다. 나중에 알았다. 그 순간 나도 이 제국의 일원이 되었다는 것을 말이다.

진경이는 이뻤다. 지금이야 어떻게 생겼었는지 기억은 안 난다만, 진경이는 이쁠 수밖에 없었다. 학급의 모든 아이가 매일 같이 진경이의 모든 것에 대해 이쁘다고 했기 때문이다. '진경아, 오늘 딴 머리 이쁘다.', '진경아, 오늘 옷 이쁘다.', '진경이, 그냥 이쁘다.' 진경이는 똑똑했다. 현명함이 필요한 상황에서는 언제나 진경이가 그 끝이었다. '진경아, 이건 무슨 뜻이야?', '진경아, 쟤네 싸우는데 어떡해?', '3학년이 됐어도 진경이가 우리 반에서 계속 1등

이겠지?' 그리고 진경이는 착했다. 심성이 착했는지는 모르겠지만, 진경이는 반에서 인정하는 공식적인 '착한 어린이'였다. 첫 주 학급 회의 시간이었다. 아직 학급 임원을 뽑지 않았기 때문에 당연하게도 진경이가 임시 회장으로 회의를 진행했다. 담임 선생님께서 알려주신 순서대로 회의를 진행하였고 끝으로 이주의 '착한 어린이'를 뽑는 시간이 되었다. 시작과 동시에 한 녀석이 손을 들었다.

"저는 김진경 어린이가 착한 어린이라고 생각합니다. 왜냐하면 진경이는 매우 착하기 때문입니다."

정말로 이렇게 말했다. 옛날 일이라고 아무렇게나 꾸며낸 말이 아니다. 너무도 충격적인 말이었기 때문에 또렷이 기억난다.

"동의합니다."

"재청합니다."

이렇게 진경이가 1번 후보가 되었다. 그리고 아무도 발언하지 않았다. 진경이가 말했다.

"저는 동호를 추천합니다. 반 친구들(나)에게 매일 간식을 나눠주고 좋은 말을 자주 해줍니다."

"동의합니다."

"재청합니다."

거수로 투표한다. 1번 김진경이 압도적인 표를 받아 그 주의 '착한 어린이'로 당선된다. 2번 이동호는 단 2표를 받았다. 추천을 한 진경이와 반에서 가장 모자란 김철우다. 철우가 반역을 한 게 아니다. 철우는 진경이가 하는 모든 것을 따라 한다. (동호는 나중에 반장이 된다. 진경이가 회장을 하겠다고 했기 때문이다. 그렇다 동호는 이인자다. 일인자와 격차는 매우 크고 그 아래보단 미묘하게 우위에 있는 이인자다.)

봄이 다 지날 때까지 김진경 제국은 무탈하게 흘러갔다. 날이 슬슬 더워져서일까. 중간고사가 지나고 탄광촌에도 온기가 맴돌기 시작할 때쯤부터 교실에는 다른 공기가 스며들기 시작했다.

진경이를 엄석대로 비유한 것은 사실 지나치다. 학급의 제왕으로 군림한 모습은 비슷하나, 결정적으로 진경이는 엄석대처럼 악한 행동을 하는 아이는 아니었다. 오히려 매우 모범적인 친구로 기억한다. 엄석대는 반 아이들을 지배했다. 그러나 진경이는 반 아이들을 지배하는 듯 지배하지 않았다. 쉽게 말하자면 진경이는 아이들이 떠받들어 주는 것을 자연스럽게 받아들일 뿐 충성을 강요하거나 지배력을 행사하진 않았다. 인제 와서 회상하다 보니 어떠한 과정으로 이러한 분위기가 형성되었는지 매우 궁금해진다. 당시 이성보다는 본능에 더 충실했던 나는, 새로운 학급에 얼른 적응해야겠다는 마음뿐이었지 이전 상황을 물어볼 생각조차 하지 못했다. 또한, 지금은 당시 친구들과 연락이 닿지 않기 때문에 확인할 겨를이 없다.

진경이를 떠올려 보면 예쁘고 깔끔한 이미지가 생각난다. 다른 아이들과 다르게 항상 리본이나 머리띠 같은 장식을 하고 있었으나 과하지 않았다. 말도 항상 또박또박 이쁘게 하였고 대체로 웃거나 평온한 표정이었다. 찡그린 얼굴은 거의 본 적이 없다. 모든 아이에게 친절했다. 다만 조금 꼬질꼬질한 녀석들이 아주 가까이 오는 것은 꺼리는 듯했다. 물론 그 꺼리는 표정도 찰나의 순간뿐이었다. 대체로 진경이 스스로 손 쓸 필요 없이 상황이 정리되었다. 김철우는 우리 반의 대표적인 '꼬질이' 였고 진경이를 열렬히 신봉하는 아이였다. 철우는 쉬는 시간에 종종 진경이 곁으로 다가왔다. 철우의 접근을 진경이가 꺼리는 그 찰나에 진경이를 호위하는 몇몇 아이들이 차단했다.

"야, 김철우 너 오늘도 안 씻었지? 냄새나잖아. 진경이한테 가까이 가지 말고 할 말 있으면 거기서 해."

발걸음을 멈춘 철우가 말한다.

"아니, 그냥. 이거 진경이 줄려고…."

꼬질꼬질한 손으로 사탕 몇 개를 내민다. 어느새 진경이는 해맑은 미소를 지으며 철우에게 말한다.

"철우야, 고마워. 잘 먹을게."

철우는 함박웃음을 지으며 제자리로 돌아간다. 그리고 진경이는 그 사탕을 주위 친구들에게 나눠준다. 물론 본인은 먹지 않는다. 확신한다. 김진경은 그런 사탕은 절대 먹지 않는다.

어느 때부터인지는 잘 모르겠지만, 나도 종종 아침에 등교하면서 진경이에게 먹을 걸 줬다. 이 사실을 고백하는 게 왜 이렇게 부끄러운지 모르겠다. 그 사회에서 살아남기 위한 본능적인 움직임이라고 이해하시고 놀리지 말았으면 좋겠다. 내가 준 간식을 진경이가 먹었던가? 잘 모르겠다. 아마, 먹었을 거다. 보정된 것인지 모르겠지만 나의 기억이 그렇게 믿고 있다. 진경에 대해 기억나는 상황이 하나 더 있다. 진경이가 휴지에 코를 풀었고 누구나 그렇듯 자신이 푼 코를 확인하고 있었다. 그 광경을 내가 목격했다. 누런 코가 한

가득 보였다. 김진경 여왕의 코에서 나왔으리라고는 상상할 수 없었다. 진경이는 흠칫 놀라 뒤를 돌아봤고 나와 눈이 마주쳤다. 진경이가 째려봤고 나는 웃었다. 진경이의 입이 소리 없이 말했다.

'아, 무, 에, 게, 도, 말, 하, 지, 마.'

이후로 아무에게도 말한 적이 없다. 당시에는 금방 잊어버렸기 때문이다. 이상하게도 오랜 시간이 지난 지금 갑자기 생각날 게 뭐람.

중간고사 결과가 알려진 후, 그동안 이 학급에서 느껴보지 못한 기류가 감돌았다. '동호가 이번에 우리 반에서 1등이래.', '진짜? 그럼, 2등은 진경이야?' 격차 큰 만년 이인자 이동호가 반에서 1등을 했다. 학생으로서 최선을 다한 동호는 의도치 않게 쿠데타의 주역이 되었다. 이상하리만치 당시 진경이의 모습이 기억나지 않는다. 꽤 상징적인 일이기 때문에 기억날 법도 한데, 당시의 진경이만큼은 잘 기억이 안 난다. 진경이에게도 상당히 충격적인 상황이었기 때문에 스스로 모습을 감춘 건 아니었는지 추측해 본다. 당시 난 동호가 대단해 보였다. 비록 본능적으로 김진경 제국에 순응하며 지내곤 있었지만, 작게나마 형성된 내 이성이 늘 불편함을 갖고 있었던 것 같다. 그런 와중에 이동호 장군이 쿠데타를 일으켰으니, 반군을 응원하는 민중의 마음으로 대리 쾌감을 느낀 건 아닌지 모르겠다. 동호에게 가서 물었다.

"우와, 동호야. 너 대단하다. 어떻게 공부했길래 1등을 한 거야?"

"응, 그냥 전과 하나를 달달 외었어."

나는 이 말을 여러 친구에게 옮겼다.

"야, 동호가 어떻게 1등 한 지 알아? 전과를 통째로 외었데."

"오, 그래? 동호는 무슨 전과 봤데?', '어…. 뭐라 그랬더라. 아, 그래. 동아전과래"

"아으, 내 거는 표준전관데. 엄마한테 동아전과도 사달라고 해야 겠다."

소문은 삽시간에 퍼졌고, 너도나도 동아전과를 마련하는 붐이 일었다. 그러는 나는 몇 등 했는가? 그렇게 못 하진 않았던 것으로 기억한다. 아마, 3~4등 정도? 진경이 보단 아래. 아직 쿠데타를 일으키기에는 힘이 모자란 전학생이었다. 중간고사 성적 발표를 통해 학급 분위기가 급히 반전된 것은 아니다. 여전히 진경이는 매일 간식 세례를 받았고, 매주 '착한 어린이'에 선정되었다. 단지, 진경이가 전보다 동호를 약간 떨어져서 대하는 듯했고, 동호의 목소리가 전보다 조금 커진 것 같았다.

학교 마치고 집에 가는 어느 날이었다. 교문에서 약간 떨어진 도로에 커다란 얼음덩어리들이 떨어져 있었다.

"어, 저거 뭐야. 얼음이잖아."

"그러게, 저게 왜 저기 떨어져 있지?"

수군거리는 아이들 사이에서 누군가 튀어 나갔다. 동호였다. 처음에는 얼음을 들어보려 했다. 또래보단 체격이 좋은 동호였지만 역부족이었다. 이내 방법을 바꿔서 얼음을 발로 밀었다. 따뜻한 날씨에 살짝 녹아있던 얼음은 순조롭게 도로 구석으로 미끄러졌다. 그렇게 동호는 모든 얼음덩어리를 도롯가로 치웠다. 그땐 몰랐다. 이 순간이 진정한 쿠데타의 발단이 될 줄은 말이다.

그 주 학급 회의 시간이 돌아왔고, 평소대로 회의가 진행되었다. 착한 어린이를 뽑는 차례가 되었다. 역시나 '착하여서'라는 이유로 진경이가 1번 후보가 되었다. 회장이 말했다.

"다른 후보 추천은 없습니까?"

약간은 정적이 흘렀다. 평상시대로라면 진경이가 누군가를 2번 후보로 추천할 차례였다. 진경이가 입을 반쯤 여는 순간, 내가 손을 들었다.

"저는 이동호를 추천합니다. 며칠 전 동호는 학교 앞 도로에 떨어져 있는 커다란 얼음덩어리들을 치웠습니다. 다른 누구보다 먼저 행동하는 모습이 매우 멋있었습니다. 그래서 추천합니다."

당시에 내가 왜 그렇게 했는지는 잘 모르겠다. 특별히, 기존의 흐름을 깨고 싶거나 김진경 제국을 무너뜨리고자 하는 마음에서 그런 건 아니었다. 기억을 짜내어 보자면, 그저 동호가 멋있었기 때문에 그랬던 것 같다. 전과를 탈탈탈 외어서 1등 한 동호가 멋있었고, 누구보다 먼저 나서서 얼음을 치운 동호가 멋있었다. 나는 그 멋진 동호가 착한 어린이가 되면 좋겠다는 마음이 들었다. 강한 '본능'의 발동이었다. 나의 돌발행동으로 인해 평소와 다른 상황이 전개되었다. 김진경 회장은 칠판에 2번 이동호를 적기 시작했고, 반 아이들은 상당히 웅성거렸다. 그리고 이전까지 학급 회의에 전혀 관여하지 않으시던 담임 선생님께서 끼어드셨다.

"회장, 아직 동의와 재청이 나오지 않았어요."

분필을 잡고 있던 회장은 이내 손을 이내 멈췄다. 그리고 고개를 돌려 다소 상기된 얼굴로 아이들을 바라보았다. 웅성거리는 틈에 누군가 슬그머니 손을 들고 말했다.
"동의합니다."

진경이가 그쪽을 빠르게 쳐다봤다. 동의한 친구는 그보다 더 빠르게 손을 내리고 몸을 숨겼다. 동의가 나온 곳 반대편 어딘가로부터 재청이 이어졌다. 진경이는 또다시 시선을 돌렸지만 누가 재청했는지 알아채지 못했다. 칠판으로 고개를 돌린 회장은 '2번 이동호'를 적었다. 투표했다. 이어서 잔뜩 고조된 긴장감 속에서 개표가 시작되었다. 바를 정(正)자가 쌓여갈수록 긴장감은 더 커졌다.

"이번 주 착한 어린이는 이, 동, 호입니다. 딱, 딱, 딱."

"와~!"

동시에 두 명이 환호했다. 나와 동호였다. 그리고 이내 입을 막고 조용히 있었다. 무표정한 김진경 회장이 학급 회의 종료를 알렸다.

이후, 소설에서처럼 급격한 사건의 소용돌이가 이어지진 않았다. 다만 그 일을 시작으로 하여 시나브로 학급의 공기가 달라졌다. 그 이전에는 진경이밖에 없었다. 모든 부분에서 으뜸은 항상 진경이어야만 했다. 암묵적인 그 규칙에 모두 순응하여 행동했다. 그러나 그 사건 이후에는 하나둘씩 각자의 분야에서 두각을 나타내는 아이들이 나타났다. 운동을 잘하는 아무개는 교내 핸드볼부에 발탁이 되었다. 그림을 잘 그리는 누구누구는 전국대회에서 상을 탔다. 선생님의 독려에 시를 쓴 나는 어린이 신문에 월간 장원으로 당선되었다. 전과 외우기 신공으로 동호는 기말고사에서도 상위권을 차지하였다. 다양한 아이들이 제각기 모습으로 발견되었다. 그렇다. 이미 각자가 잘하던 것들이다. 다만 진경이를 위해 혹은 이 학급의 존립과 안위를 위해 스스로 모습을 드러내지 않았던 아이들이 장막을 걷고 무대 앞으로 나서기 시작한 것이다.

진경이는 엄석대와 다르다. 석대처럼 몰락하지 않았다. 물론 김진경 제국은 몰락했다. 이러한 전개가 진경이에게 아쉬움을 줬을지 모르겠다. 동호가 착한 어린이로 뽑힌 그날 진경이는 힘들었을 것이다. 흥분과 좌절, 배신, 분노 등 다양한 감정을 느꼈을 것이다. 그러나 진경이는 착하고 현명하며, 예쁘고 깔끔한 아이다. 학급의 분위기가 바뀌는 과정에서 진경이도 자연스럽게 우리 반의 한 친구로서 함께 어울리며 잘 지냈다. 진경이를 엄석대로 비유한 것에 사과한다. 진경이는 우리들의 아름다운 친구다.

제13화 문학소년

문학 소년이 있었더란다.

나는 비록 공학도의 길을 가고 있지만 문학에 대한 관심이 많다. 독서를 자주 하지는 않지만, 시간이 나면 장르 불문하고 책을 읽으려 한다. 가끔은 어떠한 영감이 떠올라 글을 쓰거나 시를 짓기도 하지만 매번 영감이 금방 방전돼서 미완으로 그치고 만다. (기억했다가 나중에 써야지…. 하다가 잊어버리기도 부지기수다) 매끄럽게 잘 쓰인 글을 보면 글쓴이가 궁금하기도 하고 부럽기도 하다. 난해하면서도 아름다운 표현의 시구절을 접하게 되면 위대한 난제를 해결한 과학자를 우러러보는 것처럼 감탄하게 된다. 비록 내 능력이 짧아 작품다운 작품을 써보진 못했지만, 문학에 대한 내 관심은 식지 않고 있다는 사실만으로도 감사할 따름이다.

초등학교 시절 담임 선생님의 지도로 학급 학생이 모두 시, 산문 등을 배우고, 작품을 써서 어린이 신문에 제출하고 그랬던 적이 있다. 당시 나는 철없이 노느라고 바빴던지라 학업에 열심히 임하진 못했지만, 어린이 신문에 내 이름 석 자 한 번 올려보겠다는 오기가 생겨서 시, 산문을 열심히 썼었다. 그러던 어느 날 선생님의 활기찬 부름에 달려가니 내가 쓴 시 한 편이 당당히 기제 된 것을 확인할 수 있었다. 그것도 월간 장원으로 선정되었다. 아버지께서 바둑 두시는 모습을 보고 내 나름대로 생각을 그려낸 시였다. 전문은 기억나지 않는다. 다만 그때의 느낌을 떠올려 일부 구절을 옮기면 이러하다.

가로줄 세로줄 악보 위에서
검정 돌 도레미
하얀 돌 파솔라
노래를 한다.
싸움을 한다.

대략 이런 내용이었다. 흰 돌과 검은 돌이 싸우는 치열한 전장을 오선지 위 음계들의 노래로 여기고 쓴 시다. 지금 생각하면 어린 시절 내가 저런 표현과 생각을 했다는 사실에 신기하기만 하다. 어쩌면 저 때가 내 문학의 전성기가 아닐까 하는 생각도 한다. 다 크고 나서 저기에 살을 붙여 완성해보려고 있지만 아무리 해봐도 맛이 살지 않았다. 결국 미완으로 남겨둘 수밖에 없었다.

어린 시절, 어디에도 얽매이지 않은 순수한 시각이 가져다주는 신선함과 기발함은 스스로 되새겨봐도 놀랍기 그지없다. 창작의 자세는 관념의 순수함이라는 말, 지적 노동자의 최고 자질은 공평무사함이라는 말이 다시금 떠오른다. 엄청난 정보의 썰물 앞에서 다양한 시각을 객관적으로 바라보고 본인만의 올곧고 공평무사한 기준으로 세상을 가늠하는 것. 그것이 문학자의 자세요. 또한 우리 공학자의 자세가 아닌가 생각한다.

뜬금없지만 내가 바라는 미래 내 모습을 말해보라면, 그건 바로 문학적인 공학도가 되는 것이다.

제14화 플라나리아

학교에서 플라나리아를 배웠다.

기억나는 특징은 두 가지이다. 첫 번째는 아주 깨끗한 물에서만 산다는 것이고 두 번째는 재생력이 좋아서 몸이 잘려도 다시 재생되며, 심지어 잘려나간 부분도 완전한 개체로 재생된다는 것이다. 그 말을 듣는 순간 잘라 보고 싶었다. 어린 시절 자연 과학에 대한 왕성한 호기심이라고 포장할 수도 있겠지만, 돌이켜 보면 그 내면에서는 그저 악한 동심의 발동이라는 생각이 든다. 동심이라고 해서 항상 선한 것만은 아니지 않은가. 어른들 말씀 잘 듣고 착한 일 하는 동심도 있겠지만, 거리낌 없이 던지고 부수고 때론 상대를 때리는 등의 악한 동심도 있다고 생각한다. 그러한 악한 행위를 그래도 동심의 범주에 넣는 이유는 행위가 악할 뿐 그 속에 악의나

죄책감 같은 내면의 발동은 없다고 보기 때문이다.

플라나리아를 잘라보고 싶었다. 반으로 잘라서 두 개 만들고, 또 다시 각각을 잘라 네 개 만들고 싶었다. 계속 잘라서 우리 반 친구들 수만큼 만들어서 나눠주고 싶었다. 그리고 친구들이랑 다 같이 또 잘라보고 싶었다. 선생님께서 말씀하였다. 여기 고한은 맑은 개울이 많아서 상류로 올라가면 플라나리아를 발견할지도 모른다고 말이다. 그래서 찾기로 결심했다. 별동대를 모았다. 나 말고도 플라나리아를 찾고 싶어 하는 친구들이 꽤 있었다. 나는 알았다. 내색은 하지 않지만, 그 녀석들도 플라나리아를 잘라 보고픈 욕망이 있다는 것을.

가까운 개울가를 찾아가서 열심히 돌멩이를 들췄다. 플라나리아는 보통 돌멩이에 붙어 있다고 선생님께서 말씀하셨기 때문이다. 작은 피라미들이 많았다. 그러나 플라나리아는 없었다. 사진으로 봤을 때, 거머리랑 비슷하게 생겼지만, 색깔이 비교적 옅고 머리가 삼각형으로 생긴 것을 기억하고 있었다. 그러나 가끔 찾은 녀석들은 아무리 봐도 거머리 같았다. 좀 더 상류로 올라갔다. 개울 폭이 좁아지고 수풀도 더 우거졌으며 좀 더 어두웠다. 주변이 어떻게 바뀌었는지도 모른 채 뒤졌다. 가재도 나오고 버들치도 나왔다. 깨끗한 물에 산다는 애들은 거의 다 찾은 것 같다. 그러나 플라나리아는 없었다.

더 높이 올라갔다. 아마도 부모님께서 아셨으면 기절초풍하셨을 것이다. 그만큼 산속 깊은 개울로 들어간 것이다. 모두가 슬슬 지쳐갈 때, 누군가 외쳤다.

"찾았다!"

처음엔 의심했다. 또 거머리겠지. 그러나 어느 정도 깊숙이 들어온 이후부터는 거머리가 보이지 않았기 때문에 지금 발견한 것이 플라나리아일지도 모른다는 희망이 다가왔다. 모두 모였다. 일단 꾸물거리는 모양새가 거머리류, 아니 플라나리아류 같았다. 아까 보던 거머리보다는 확실히 색이 옅었고 크기도 작았다. 머리는 삼각형이었나? 찾으러 나선 지 많은 시간이 지나 모두 지쳐있었고, 확실히 아까 보던 거머리랑은 다르게 생겼기 때문에 우리는 플라나리아라고 믿었다. 머리가 삼각형이라고 믿었다. 그러한 믿음에 산통을 깨는 친구가 있었다.

"야, 그거 진짜 플라나리아 맞아? 아닌 것 같은데? 한 번 잘라보자."

그래! 잘라보면 된다. 맞아! 우리가 오늘 나선 이유는 플라나리아를 잘라보고 싶어서이지 않은가. 잘라보자. 자를 만한 도구가 없었다. 주변에서 납작한 돌멩이를 주어다가 큰 바위에 문질러 갈았다.

"뭉툭한 날로 뭉개버리면 몹시 아플 거야. 깨끗하게 잘라줘야 다시 잘 자랄 거야."

삽시간에 돌멩이는 제법 날카로운 칼이 되었다. 두근두근, 드디어 플라나리아를, 우리가 플라나리아라고 믿는 그 녀석을 잘랐다.

두 조각으로 잘린 플라나리아는 잘린 후에도 계속 꿈틀거렸다. 자른 것까지는 좋았다. 다만, 치기 어린 우리는 재생의 개념을 몰랐다. 텔레비전에서 혹은 어른들 이야기에서 죽고 사는 건 어렴풋이 이해했다. 간혹 만화영화에서 부활하는 것도 보아서 알았다. 그러나 재생이 뭔지는 잘 몰랐다. 우리는 이것이 플라나리아일 것이라는 추정을 믿음으로 바꿔주는 방향으로 재생의 개념을 꿰맞출 수밖에 없었다. '야, 잘랐는데도 계속 꿈틀거려! 죽지도 않고 양쪽 다 움직여! 재생했나 봐!! 플라나리아가 맞나 봐!!!' 믿음을 넘어서서 확신에 가득 찬 플라나리아를 발견한 순간이었다.

그 후 어떻게 됐는지는 잘 모르겠다. 그 믿음의 플라나리아를 갖고 오지 못한 건 확실하다. 다음날 그저 학교에 가서 다른 친구들과 선생님께 플라나리아를 발견했고, 잘랐고, 재생을 목격했다고 자랑한 것만 기억난다. 나를 비롯한 별동대 친구들은 플라나리아를 발견한 아이들이 되었고, 선생님의 칭찬을 받았다. 그것으로 모든 것이 족한 시절이었다.

제15화 쥐불놀이

정선군 고한읍은 탄광촌이다. 어린 시절 고한에서 자주 보이던 풍경 중 하나는 검은 돌로 가득한 산비탈이다. 산의 한쪽 면에 탄광에서 나온 검은 돌들을 계단형으로 차곡차곡 쌓아 비탈을 만든 것이다. 그리고 그 검은 산비탈의 꼭대기에는 버려진 사무실 건물이 있었다. 검은 산비탈에는 꽃도 나무도 아무것도 없었다. 동물들도 잘 지나다니지 않았다. 먹이도 없고 숨을 곳도 없으니 당연하다. 생명이 없는 검은 산비탈과 그 꼭대기 버려진 회색 건물. 멈춰버린 흑백 텔레비전 같았다.

집 근처에 이런 검은 산비탈이 있었다. 놀이터 옆으로 돌아나가면 버려진 사무실이 있었고, 그 앞으로는 검은 돌들이 비탈을 이뤄 내려가고 있었다. 이곳에서 종종 친구들과 모닥불을 피워 놀았다.

사무실 내 한쪽을 치운다. 마을에서 주어 온 박스 때기 들을 펼쳐서 앉을 곳을 만든다. 근처 산으로 올라가서 죽은 나뭇가지들을 모아 온다. 작은 나뭇가지들을 먼저 얼기설기 쌓는다. 이때 가운데에 공간을 만들어줘야 한다. 그 공간으로 불을 붙인 신문지를 넣어준다. 간혹 신문지에 불은 어떻게 붙이냐고 묻는 경우가 있다. '부싯돌을 쓰니? 아니면 나뭇가지를 비벼서 불씨 만드니?' 촌 동네라고 오지는 아니다. 그 옛날이라고 문명이 없었던 것도 아니다. 보통은 아부지들이 쓰시는 성냥개비 몇 개를 가져다가 벽돌에 긁어서 불을 붙인다. 신문지는 짧고 굵게 타오른다. 이내 '타닥타닥' 나뭇가지가 타는 소리가 난다. 작은 가지들이 타기 시작하면 그 위에 큰 가지들을 쌓는다. 박스 조각으로 열심히 부채질한다. 불길이 잦아들 것 같으면 강렬하게, 불길이 살아 오르면 살 포럼 하게 강도를 조절한다.

불이 활활 타오르면 불장난을 시작한다. 불장난이라고 별거 없다. 눈에 보이는 아무것이나 태워보는 것이다. 처음에는 비닐이나 페트병을 막대에 꽂아서 태워본다. 잘 타기도 하고 녹으면서 흘러내리는 모습이 재미있기도 하다. 그러나 검은 연기가 많이 나고 냄새도 역해서 조금 해보고 만다. 그다음은 돌멩이를 태운다. 태운다기보다는 데운다. 돌멩이가 빨갛게 달궈지면 물웅덩이에 던진다. '치익~'하는 소리와 하얀 수증기가 오르며 식는 모습이 재미있다. 가끔은 달궈진 돌멩이를 잘 못 만졌다가 손끝을 디어서(강원도에서는 데다는 말을 디다라고 했다.) 쓰리고 물집이 생기기도 했다. 이것도 몇 번 하다 보면 금방 질린다. 아무래도 더 재미있는 것은 악한 동심이 발휘될 때이다. 주변의 눈에 띄는 벌레들을 잡는다. 거미가 제일 만만하다. 나뭇가지 두 개로 젓가락을 만들어 거미를 집고 불 가까이 가져간다. '타다닥' 삽시간에 쪼그라들면서 타버린다. 너무 작아서 심심하다. 밖으로 나가서 다른 벌레들을 잡아 온다. 메뚜기나 여치들은 좀 괜찮다. 다리를 붙잡고 태우면 발버둥 치는 모습이 볼만하다. 나비나 나방은 의외로 금방 타버려서 시시하다. 나는 나비나 나방은 가루가 날려서 별로 좋아하지 않았다. 사실 무서워했다. 특히, 나방 가루는 눈에 들어가면 장님이 된다는 형들의 말을 굳게 믿고 있었기 때문에 더더욱 꺼렸다. 벌레 태우기의 최고봉은 사마귀다. 벌레 중의 왕답게 사마귀는 용맹하다. 불의 마왕과 싸우는 용사처럼, 꼿꼿이 서서 두 팔을 휘두른다. 등 속에 감춰둔 날개를 펴기도 한다. 안타깝게도 정의는 패배하고 불의 마왕은 사마귀 용사를 삼킨다. 사마귀를 응원하던 악동들은 또 다른 검투사를 찾아 흩어진다.

실컷 놀다 보면 불길은 어느새 잦아들고 나무들은 벌겋게 숯이 된다. 땅거미가 지고 어둑어둑해지면서 그날의 마지막을 장식할 축제가 시작된다. 쓰레기장에서 주워 온 깡통에 구멍을 숭숭 뚫는다. 통조림 캔, 양념통 등이 있지만 최고는 분유통이다. 크기도 적당하고 구멍 뚫기도 수월하다. 깡통 입구에 철사를 꿰어 길게 손잡이를 만든다. 준비는 끝났다. 달궈진 숯들을 깡통에 적당히 채우고 밖에 나가서 돌리기 시작한다. '휭~ 휭~' 깡통이 돌면서 안에 있던 숯들이 불꽃을 일으킨다. 주홍빛 불길이 돌면서 고리를 만든다. 적당한 회전 속도를 유지하는 것이 고수의 자질이다. 너무 느리면 숯이 쏟아진다. 너무 빠르면 놓쳐버리고 만다. 모두가 하나씩 원을 만들다가 누가 먼저랄 것도 없이 다 같이 소리친다. '자~ 던진다. 하나, 둘, 셋!' 마지막 구령에 맞춰 모두 잡고 있던 철사를 놓는다. 동그랗던 고리가 흩어지고 띠가 되어 비탈을 내려간다. 어둠이 내려앉는 초저녁에 별똥별이 떨어진다. 날아가는 깡통에서 숯 조각들이 부서지며 튀어나온다. 별똥별에서 하늘거리는 불꽃 꼬리가 생긴다. 하루 종일 밋밋한 회 검색이었던 산비탈에 드디어 살아 꿈틀거리는 불빛이 반짝인다. 누군가는 멀리서 이 광경을 보고 정말 별똥별이라고 생각하진 않았을까? 그리고 그 누군가는 소원을 빌지 않았을까? 원래 쥐불놀이하고 마지막에 던지면서 소원을 빌곤 한다. 날아가는 불꽃의 모습이 별똥별 같아서 그랬던 것일까?

뒤처리는 필요 없다. 애초에 아무 생명도 없는 돌무더기였기 때문에 흩어지는 숯에 의해 불이 붙을 무언가도 없다. 그저 불길이 남아있는 모닥불에 오줌을 누어 꺼버리면 그만이었다.

제16화 대원아파트

신기하다. 신기술 덕분에 추억을 되살리는 데 많은 도움을 받는다. 웹 지도에서 지원하는 항공뷰와 거리뷰 덕분에 어렴풋이 기억나는 고한의 모습을 다시금 되새길 수 있었다. 이내 서글프다. 30여 년이 지났는데도 크게 변한 부분이 없다. 강원랜드니, 하이원리조트니 하며 변한 부분도 있지만, 내가 살았던 그 부근은 지형지물이 대동소이하다. 일부 변한 부분은 이랬는데 저리되었구나 유추가 가능할 정도다. 그래도 고맙다. 화면 너머의 풍경에서 쉽사리 시간여행을 할 수 있었다. 지도를 감상하며 명상할 수 있음에 감사하다.

대원아파트에 가려고 한다. 물론 웹 지도를 통해서 말이다. 시작은 읍내 측에서 빠져나와 북동쪽 산자락으로 가는 '고한9길'에서

부터. 길 우측에는 가파른 산비탈이 있다. 지도에는 회색빛 계단식 콘크리트 구조물로 잘 정비되어 있다. 예전에는 탄광에서 나온 검은 돌들을 계단식으로 쌓아 놓은 비탈이었다. 비탈에는 꾸부정한 풀 나무들이 듬성듬성 처박힌 듯 자라고 있었다. 그 검은 비탈 위에서 동네 친구들과 불 피우고 쥐불놀이하며 놀았다. 가끔 혈기가 넘칠 때는 이 비탈을 올라 집으로 갔다. 울퉁불퉁한 검은 돌들이 상당한 경사를 이루고 있었지만, 꾸역꾸역 잘도 올라갔다. 간혹 바위 틈새에서 말벌이라도 만나면 걷기에도 힘든 비탈을 뛰어 올라갔다. 말벌에 쏘이면 마비가 오거나 기절할 수도 있고 아이들은 심지어 한 방에 저세상으로 뜰 수 있다고 들었기 때문에 죽기 살기로 도망칠 수밖에 없었다. 만용으로 가득한 그 발걸음들은 이제 높다란 콘크리트 아래 묻혀서 더 이상 나아갈 수 없다.

비탈을 옆에 두고 걷다 보면 길은 우측으로 90도 휘어진다. 지도의 좌측으로 작은 샛길이 보인다. 이곳으로 내려가면 까만 돌과 흙으로 덮인 공터가 있었다. 아지매들이 무를 심는 텃밭이 있었고 한쪽에는 잡초도 무성했던 곳이다. 공터를 가로질러 나타나는 샛길을 내려가면 고한초등학교 후문으로 갈 수 있었다. 지금은 나무가 무성한 공간으로 바뀐 모습을 항공뷰로 확인할 수 있다. 여전히 이곳으로 사람들이 드나들까? 동네 아이들은 가끔 이곳에서 놀까? 웹 지도만으로는 더 확인할 겨를이 없어 답답하다. 눈이 오면 까만 공터가 새하얗게 변하던 그 모습이 아직도 눈에 선하다. 공터로 가는 샛길 반대편에는 오지랖 넓은 똥개가 사는 허름한 집이 있었으나 지금은 없는 듯하다.

계속 길을 따라가 보니 좌측에 그리 오래돼 보이지 않는, 3~4층 정도의 빌라형 건물이 보인다. 알록달록한 나무 울타리가 둘러쳐져 있고 건물 위에는 '새빛 어린이집'이라고 쓰여 있다. 반갑다. 내가 다녀서가 아니다. 그 당시에는 이런 건물도 없었고 어린이집을 다닌다는 개념도 없었다. 그저 낡고 변화 없는 이 동네에도 아이들이 살고 있다는 흔적을 발견하여 반갑다. 물론 그들도 대부분 자라다 보면 나처럼 그곳을 떠나겠지. 그 옛날에는 이 부근에 아주 허름한 건물들이 있었다. 건물 옆으로는 오르내릴 수 있는 계단도 있었다. 내 기억에 그 허름한 건물 중 하나는 '롤라장'이었다. 문을 열고 들어가면 롤라를 대여해줬다. 더 안으로 들어가면 약간은 어두컴컴하지만 반들반들한 바닥의 '롤라장'이 있었다. '롤라장'과 반경 5미터 정도의 풍경은 확실히 기억나는데 이 위치에 있었는지 확신이 서진 않는다.

조금 더 가면 살짝 우측으로 경사진 비탈길이 나와야 하는데, 지도에는 콘크리트 담장이 이어져 있고 그사이에 사람 한둘이 지날 수 있는 작은 계단이 보인다. 예전에는 이 경사진 비탈을 올라서 바로 아파트 입구에 도달할 수 있었다. 자동차들도 왔다 갔다 할 수 있을 정도의 넉넉한 비탈이었다. 다만 경사가 좀 있어서 눈이 많이 내린 겨울에는 차들이 다닐 수 없었고 아이들이 박스 때기로 썰매 타는 곳이 되었다. 아스팔트가 아닌 울퉁불퉁한 콘크리트로 된 비탈이어서 차로 지날 때면 털털털거리는 소음이 심했던 기억이 난다. 지금은 사람만이 오갈 수 있는 길로 바뀠나 보다. 그래도 겨울이면 아이들은 여전히 이곳에서 썰매를 타겠지? 그때의 질주가 지금도 이어지기를 얄팍하게나마 빌어본다.

비탈길을 뒤로한 채 쭉 뻗은 길을 따라가 본다. 그 끝에 고한중고등학교가 보인다. 사진으로만 봐도 길이 매끈하다. 절대 30년 묵은 길로는 보이지 않는다. 그때는 없던 길이다. 도로는 교문 앞에서 우측으로 180도 휘어서 뱀처럼 위로 올라간다. 잘 포장된 길이 어색하다. 그때는 좌우로 나무도 우거져 있었고 비포장 길이었다. 길도 험하고 길 끝에는 무서운 중고등학교 형들이 있어서 잘 다니지 않는 길이었다. 지금은 매끈하고 햇빛도 환히 비치는 길이지만 왠지 모르게 불편하여 후다닥 지나친다.

드디어 대원아파트 정문에 이른다. 그럴듯한 정문이 있는 것은 아니고 대강 아파트 단지로 근접하는 경계일 뿐이다. 아파트에 들어가기에 앞서 길 좌측에 집이 있는지 살펴본다. 없다. 새로 만든 듯한 정자만 보인다. 이 부근에 낡은 집이 있었다. 그 집 안마당에서는 순이와 복실이라는 강아지가 있었다. 녀석들은 모자지간이었는데, 가끔 가면 두 녀석 다 배가 불룩했고 금세 마당에는 조막만한 아기 강아지들로 가득했다. 그리곤 이내 아기 강아지들은 사라지고 없었는데 아마도 그 집 아저씨가 내다 팔아버린 것 같았다. 아무튼 그 집에는 자주 노는 형아가 있었고 그 형아는 부모님과 형, 누나 등등과 같이 살고 있었던 것 같다. 그 집에 대해서는 지금으로선 정말 믿기 힘들지만 기막힌 기억이 있다. 주말 아침에 할 일 없으면 그 집으로 갔다. 집 앞 도랑에서 고양이 세수하고 순이, 복실이랑 놀다가 스리슬쩍 집 안으로 들어갔다. 잠금장치 그런 건 없었다. 방문을 쓱 밀고 들어가면 그 집 식구들이 나란히 이불을 깔고 자고 있었다. 그 틈에서 형아를 흔들어 깨웠다. '형, 놀자.' 그러면 그 집 아주머니가 잠결에 일어나셔서 너희들 왔냐고 반겨 주시곤 했다. 이른 아침 방문을 열었을 때 포근히 감싸오던 그 집 온기가 여전히 느껴진다.

대원아파트는 아래위 2개 동으로 이루어진 아파트였다. 지금도 그 모습 그대로이다. 우리 집은 위쪽 1동에 있었다. 1동에는 총 5개의 통로가 있었는데 우리 집은 4번째 7, 8호 라인이었던 것 같다. 몇 층이었는지 기억이 가물가물한데 1층은 확실히 아니었고 2층 혹은 3층인 듯하다. 가끔 집에 문이 잠겨 들어갈 수 없을 때 통로 쪽 창문으로 나와 난간을 타고 베란다로 가서 창문을 열고 들어갔던 기억이 난다. 그 정도 만행을 부릴 정도면 2, 3층이었으리라. 1동 맨 끝에는 아파트 놀이터가 있었고 놀이터 한쪽에는 샛길이 있어서 그곳을 통해 검은 비탈길 꼭대기의 버려진 탄광 사무실로 갈 수 있었다. 그러나 지금은 놀이터는 주차장이 되었고 샛길은 철제 울타리로 막힌 것으로 보인다.

로드뷰를 통해 아파트를 자세히 살펴보았다. 1~3번째 통로 쪽은 입구 계단이 지저분하고 군데군데 깨져 있다. 외벽도 빛바랜 누런색이었고 통로에 호수 표시도 없다. 4~5번째 통로 쪽은 입구가 깨끗이 정비되어 있고 외벽도 주홍빛으로 깨끗하다. 통로 입구에는 대원 1동이라는 표시도 잘 되어 있다. 1~6호 라인의 집들은 폐쇄된 것 같다. 다시금 둘러보니 아래쪽 2동은 외벽이 죄다 누런빛이고 심지어 입구에 커다란 탱크로리가 길을 막고 있다. 사진 찍힐 당시에 일시적으로 주차하고 있었을 가능성도 있겠으나 느낌상 2

동은 전체가 폐쇄된 듯하다. 마지막으로 항공뷰를 보았다. 2동 전체와 1동의 1~6호 라인 옥상은 거무튀튀하고 낡은 회색빛이고, 1동 7~10호 옥상은 빨간 슬레이트 지붕으로 깔끔하게 마감되어 있다.

모르겠다. 왜 이렇게 가슴 한쪽이 먹먹하지.

제17화 시장의 추억

고한초등학교 정문을 나와 남쪽으로 가면 읍내를 따라 흐르는 개천이 있다. 당시 개천은 아주 특이했다. 바위며 자갈들이 죄다 붉은 빛을 띠었다. 정확히 말하면 흐리멍덩한 잿빛이었다. 물이 검거나 탁한 것도 아니었는데 유독 돌들의 빛깔이 자연스럽지 못했다. 다 크고 나서야 이는 탄광의 갱내수가 개천에 유입되고, 갱내수에 함유된 중금속들이 산화하여 생긴 '옐로우 보이' 현상이라는 것을 알았다. 개천에서 용이 나와도 시원찮을 판에 중금속으로 오염되고 있었다니 참으로 씁쓸하다.

다리를 건너 개천을 넘어가면 시장이 있었다. 조막만 한 읍내에 시장은 꼬마들의 긴장감 넘치는 놀이터였다. 시장에서 아이들로 가장 북적이는 곳은 오락실이었다. 학교 앞 문방구의 짱겜뽀 게임과는 비교가 안 되는 어마무시한 게임들이 즐비한 곳이었다. 특히 격투기 대전 게임이나 비행 슈팅 게임은 많은 아이의 사랑을 받았지만, 실제 게임 플레이는 일부 고학년 형들 독차지였다. 그들은 체구에서 풍기는 완력도 어마무시 했으나 그보다 더 무시무시한 재력을 뽐냈다. 50원짜리 동전 한가득 들고 오면 누구라도 자리를 내줘야 했고, 자리에 앉은 부르주아는 차곡차곡 동전을 쌓은 후 어깨를 으쓱하며 'insert coin' 하였다. 힘없고 돈 없는 나는 매번 뒤에서 형들의 플레이를 구경했다. 그것만으로도 재밌었다. 게임이 시작되면 항상 나서서 아나운서가 되어 상황을 중계하는 녀석이 있었다. 그러면 또 다른 녀석은 나름 알은 채 하여 '방금 저 형이 무슨 무슨 기술을 썼어.'라며 해설했다. 그 후로 십여 년 뒤 텔레비전에서 게임을 중계하고 해설하는 방송이 생겨날 줄은 아무도 몰랐겠지만 말이다. 실컷 게임을 구경하고 나면 이내 출출해진다. 오락실 밖에서 허기진 배를 유혹하는 비릿한 짠 내가 밀려 들어온다. 게임 한 판 하려고 아껴온 오십 원을 내고 오뎅 한 개를 베어문다. 짭조름한 오뎅 국물을 컵으로 떠서 홀짝거린다. 입 안 가득 행복이요, 여기가 천국이다. 정신없이 먹고 나니 용돈 이백 원을 다 쓰고 말았다. 아직 더 배고픈데 어떡하지.

친구들을 모은다. 다들 오뎅 국물의 짠 내가 가시지 않아 입을 쩝쩝거린다. 아무 말 없이 시장 한쪽에 있는 부식 가게로 간다. 주인아줌마는 가게 안에서 무료한 듯 앉아서 파리채만 휘두르고 있다. 가게 밖 좌판으로는 전혀 신경을 쓰지 않고 있다. 우리는 쪼그려 앉은 자세로 살금살금 자판으로 접근한다. 그리곤 좌판 이곳저

곳으로 흩어진다. 서로의 눈이 마주치는 바로 그 순간 각자 위치에서 가장 가까운 곳에 있는 부식 거리를 낚아채고 가게에서 먼 곳으로 도망친다. 누구는 건어물을 집어서 북으로 튄다. 찰나에 나는 딱딱한 마른 명태가 아닌 반들반들한 쥐포이길 소원한다. 다른 녀석 손에 들린 것이 퍼리한 게 딱 봐도 시금치 따위의 못 먹는 것이다. 그 옆에 있던 사과나 하나 집어 들지 풀때기를 들고 갈게 뭐람. 나는 반대 방향으로 한참을 달렸다. 혹시 몰라서 구불구불한 시장의 구석구석을 재빠르게 돌았다. 주변을 살피고 한숨을 돌린 후 내 손에 들린 소시지 한 덩이를 확인한다. 오늘은 내가 대장이다. 약속한 장소에 모여서 훔친 음식을 나눠 먹는다.

배를 채운 도둑놈들은 새로운 범죄를 모색한다. 오늘 저녁 탄광 사무실에서 불 피울 때 갖고 놀 장난감을 구하기로 한다. 시장 문방구에 간다. 여기저기 기웃거리며 물건을 탐색한다. 불장난에는 폭죽이 최고다. 한 놈은 입구 근처 양동이에 꽂혀 있는 막대 폭죽 앞을 서성인다. 다른 녀석은 이미 콩알탄을 주머니에 몰래 쑤셔 넣고 있다. 나는 문방구 가장 구석에서 나비 모양 폭죽을 집어 슬쩍 속옷 안쪽에 숨긴다. 콩알탄 도둑은 먼저 문방구를 빠져나갔다. 나 역시 아무 일 없는 척 가게를 나온다. 그 순간.

"너 옷 속에 그거 뭐니?"

주인아주머니와 눈이 마주치는 순간 나는 뒤도 안 보고 도망친다. 나비 폭죽이 속옷 안에서 흘러내려 바닥으로 떨어진다. 아까워도 할 수 없다. 친구들 핀잔들을 생각에 치가 떨린다. 저만치 앞에서 막대 폭죽을 손에 들고 뛰어가는 녀석이 보인다. 냉큼 달려가서 뒷덜미를 '탁' 친다. 겁에 질린 녀석은 깜짝 놀라며 뒤를 돌아본다. 이내 나를 발견하고는 안도의 미소를 지으며 내게 발길질한다.

"나비 폭죽은?"

"몰라, 도망치다 떨어트렸어."

녀석은 재차 내게 발길질한다.

손바닥만 한 시골에서 소식은 삽시간에 퍼진다. 집에 돌아와서 아버지께 죽도록 혼났다.

돌이켜보면 참 한심하다. 가게 주인장께도 죄송하기 그지없다. 마음 한편이 씁쓸하기도 하다. 그 당시 그곳에서는 그 짓거리 말고는 딱히 할 게 없었기 때문이다. 작은 동네에 변변한 놀이터도 거의 없었다. 있는 놀이 기구들은 죄다 녹슬고 어디 한, 두 군데 병들어 있었다. 거기서 놀다가는 나도 병들기 십상이었다. 산에서 나무해다가 불피우고 노는 것도 하루 이틀이다. 잿빛으로 물든 개천에서는 놀고 싶지 않다. 이런저런 나쁜 짓이 쌓이던 어느 날 우리 가족은 고한읍과는 비교도 안 될 정도로 큰 대도시 춘천으로 이사했다. 좀 더 깔끔한 보금자리와 약간은 더 풍족한 생활 환경에서 가족과 더 밀착하며 지냈다. 자연스레 시골에서 하던 나쁜 짓과는 멀어지게 되었다. 그 당시 그 시골에서 나도 냇가의 돌멩이들처럼 물들고 있었을까. 그래도 즐거웠는데. 나는 이제 깨끗해졌을까? 나의 내면 어딘가에 여전히 '옐로우 보이' 현상이 착색되어 남아있진 않을까? 그 녀석들은 어디에서 뭐 하고 있을까? 고한읍 개천의 돌들은 아직도 잿빛으로 남아있을까?

제18화 감자 궈 먹을래?

늦가을이다. 친구들과 모래놀이를 하고 싶었다. 아파트 놀이터에는 모래놀이할 터가 없다. 딱딱하고 먼지만 날리는 흙바닥뿐이다. 그렇다고 멀리 학교 놀이터까지 갈 순 없다. 수확이 끝난 감자밭으로 갔다. 사실 학교 놀이터보다 훨씬 좋다. 부드러운 흙 사이에서 자갈과 돌멩이들을 캐고 놀기 좋았다. 누가 누가 더 큰 돌멩이를 캐는지 내기했다. 파다 보면 지렁이와 각종 벌레가 튀어나왔다. 굴러다니는 그릇에다 모아놓고 어떤 사악한 짓을 해야 재밌을지 궁리한다. 가장 중요한 건 황금보다 귀한 황금빛 감자를 캐는 것이다. 감자를 수확할 때 크기가 작고 모양이 이상하거나 캐는 도중 손상된 것들은 밭에 내버려 둔다. 그러면 산짐승들이 내려와서 주워 먹고 돌아간다고 한다. 비단 산짐승들만을 위한 행위는 아니다.

산짐승들이 민가까지 내려오지 않도록 하는 방지책도 된다. 사악한 꼬마 녀석들은 그런 깊은 뜻도 모르고 산짐승들의 일용할 양식을 갈취한다. 대부분 쥐 대가리만 한 작은 감자다. 어쩌다 제 주먹만 한 녀석을 캐기라도 하면 그 순간 대장이 된다. 신나게 땅을 파다 보니 대략 한 바구니 정도 모았다.

"야, 저 벌레들은 어떡하지?"

"이따가 불피울 때 구워볼까?"

"그럴까?"

사악한 미소를 지으며 벌레 담은 그릇도 챙긴다.

근처 도랑에 가서 감자를 씻는다. 그런 김에 더러워진 손과 얼굴을 씻는다. 물장난을 안 할 수 없다. 앞에 있는 녀석이 세수하려고 고개를 숙일 때 목덜미로 물을 뿌린다. 오고 가는 물보라가 점점 커진다. 사방으로 뿌려지는 잔 물방울에 햇빛이 비쳐 무지개가 생긴다. 온몸이 젖은 김에 멱을 감는다. 정신을 차리고 보니 감자들이 떠내려가고 있다. 첨벙첨벙 뛰어가서 얼른 주워 담는다. 발걸음을 옮겨 놀이터로 향한다. 놀이터에서 놀던 몇몇 녀석들이 합류한다. 놀이터를 돌아나가서 버려진 탄광 사무소로 간다. 문과 창문이 다 떨어지고 내부 집기들도 하나 없이 회색 콘크리트 건물만 덩그러니 있지만 우리가 놀기에 더할 나위 없이 좋다. 문과 창문으로 막혀 있었다면 좀 무서웠을 거다. 내부에 집기들이 쌓여있었다면 더럽고 냄새가 났을 거다. 벽들이 적당히 바람을 막아줘서 좋았다. 뚫린 창으로 시야가 틔어서 좋았다.

사무소 뒤쪽 산으로 간다. 누구는 불쏘시개가 되는 마른 풀들을 모은다. 누렇다고 다 마른 풀이 아니다. 손으로 끊었을 때 바스락거리며 부서지면 잘 마른 풀이다. 누구는 작은 나뭇가지를 모은다. 불쏘시개 위에 올릴 1차 장작이다. 싸리나무 가지 같은 게 좋다. 누구는 큰 장작을 모은다. 쓰러지고 부러진 나무들을 찾는다. 땅에 박혀있거나 낙엽 아래 누운 나무들은 대체로 젖어있어서 별로다. 허리가 끊겨서 꼬꾸라진 채 공중에서 말라 죽은 나무가 좋다. 나무 기둥이야 도끼나 톱이 없어서 잘라가진 못하고 적당히 부러지는 가지들만 톡톡 끊어다가 모은다. 몇 번 왔다 갔다가 하니 한가득 보였다. 뻥 뚫린 창밖으로 땅거미가 드리워진다.

바닥에 마른 풀들을 둥그렇게 모아놓는다. 그 위에 잔가지들을 원뿔 형태로 빙 둘러쌓는다. 다시 그 위에 나무 장작을 역시 더 큰 원뿔 형태로 빙 둘러쌓는다. 너무 빽빽하면 공기가 잘 통하지 않아 불이 잘 붙질 않는다. 반대로 너무 성기면 장작이 쉽사리 무너지고 불길이 오래가질 않는다. 구석에 쟁여놓은 성냥을 켜서 마른 풀에 불을 옮긴다. 순간 불길이 확 달아오른다. 가만히 지켜본다. 아직 잔가지들에 불이 충분히 옮겨지지 않았다. 마른 풀들을 긁어모아서 더 넣는다. 아직 부족하다. 더 이상의 마른 풀은 없다. 일동 엎드리고 입을 내밀어 바람을 분다. '후~'하고 불 때마다 불길이 살아 오른다. 입바람에 날리는 재와 작은 불씨가 머리와 등위에 떨어진다. '타닥, 타다닥!' 바로, 이 소리다. 잔가지들이 발갛게 타고 일부 불씨는 장작에도 옮겨져서 경쾌한 소리를 낸다. 이제부터 모닥불은 저 혼자 신나게 탄다. 모닥불만큼이나 신이 난 꼬마들은 사악한 미소를 지으며 얇은 나뭇가지 끝에 잡아 온 벌레들을 꿴다. 벌레들이 타면서 구수한 냄새가 난다. 그러나 심히 구불거리는 녀석들을 바라보자면 먹고 싶은 생각은 없다. 극렬한 저항도 잠시다. 녀석은 이내 축 늘어지고 시커멓게 타버린다. 불길에 던져버리고 새로운 녀석을 꿴다. 그 옆에 어떤 아이는 나뭇가지에 벌레 여러 마리를 주렁주렁 꿰어 불에 지진다. '으~, 악마 같은 녀석.'

어느덧 불길이 사그라들었다. 일부는 숯이 되어 벌겋게 열을 뿜고 있다. 캐온 감자를 던져넣는다. 불판이나 석쇠를 올려 적당히 굽지 않는다. 알루미늄 포일 같은 걸로 감싸지도 않는다. 그냥 마구잡이로 던져 넣는다. 한쪽에선 깡통과 철사를 갖고 쥐불놀이 준비를 한다. 감자 구울 만큼을 제외한 숯들을 긁어모아 깡통에 담는다. 밖에 나가서 신나게 쥐불놀이한다. 매번 하는 쥐불놀이지만 할 때마다 신난다. 돌아와서 구운 감자를 찾는다. 대부분 겉이 새까맣게 타서 까만 조약돌 같다. 후후 불어가며 타버린 부분을 벗겨보니 먹을 만한 알맹이는 엄지손가락 한 마디 정도밖에 안 된다. 검댕이 묻어 거뭇거뭇한 노오란 감자를 입에 쏙 넣는다. 무슨 맛인지 모르겠지만 기분만은 천국이다. 열심히 까먹다 보면 손이며 얼굴이 죄다 새까매진다. 어설프게 먹은 감자 덕에 배가 미칠 듯이 고파진다. 남은 불길에 다 같이 오줌을 눈다. 마지막까지 물줄기를 내뿜은 녀석이 대장이 된다.

"대장님, 이제 집에 갈 시간입니다."

"오냐, 수고했다. 모두 해산!"

제19화 눈사람 모여 이글루 되어

간밤에 눈이 많이 내렸다. 엄마가 눈 왔으니 나가서 놀라며 깨우신다. 아무런 저항 없이 부스스한 눈으로 완전무장을 한다. 눈코입 빼곤 모두 가리고 밖에 나간다. 발목 위까지 잠길 정도로 많이 왔다. 그러고도 더 눈이 내리고 있다. 소복이 쌓인 눈을 바라보니 방금 빠져나온 이부자리 같다. 털썩 누워본다. 하늘에서 송이송이 눈꽃 송이 떨어진다. 새하얀 점들이 내려오더니 눈앞에서 주먹만 해진다. 고개를 슬쩍 돌려본다. 눈 옆으로는 눈이 쌓여 보이질 않는다. 다시 허공을 바라본다. 입을 벌린다. 하나둘 들어올 땐 좋았는데 이내 너무 많이 들어온다. '캬악, 퉤!' 일어서며 침을 뱉는다.

이제 제 할 일을 시작한다. 양손으로 눈을 끌어모아 주먹만 한 눈뭉치를 만든다. 꾸부정하니 고개를 숙이고 눈 뭉치를 굴린다. 얼마 굴리지 않아도 머리통 이상으로 커진다. 못나게 자란 부분을 쳐주고 다시 굴린다. 어느새 허리는 펴지고 눈 뭉치는 덩이가 되어 허리 높이만큼 커져 있다. 이제는 양손으로 밀어서 굴린다. 힘껏 굴려 놀이터 한쪽에 둔다. 다시 눈뭉치를 만들고 굴려 눈덩이를 만든다. 처음 만든 눈덩이 위에 두 번째 눈덩이를 올려 눈사람을 만든다. 형태야 눈사람이지 눈코입 따위는 생략한다. 다음 눈 뭉치 또 굴려야 한다. 그새 아이들이 죄다 나와서 저마다 제각각의 눈덩이를 굴리고 있다. 눈덩이를 만드는 족족 서로 약속이나 한 듯이 내가 만든 눈사람 주변에 쌓아 놓는다. 꾀나 많은 눈덩이를 만들었는데도 아파트 앞마당은 여전히 새하얗다. 눈 굴리는 우리를 약 올리듯 하늘은 더 거세게 눈을 뿌린다. 어른들이 눈, 삽과 빗자루를 가지고 눈을 치우신다.

"녀석들 덕분에 눈 치우기가 수월하구먼."

동네 할아버지가 헛헛헛 웃으며 우리를 바라보신다. 어른들에 의해 바닥이 드러나는 모습을 바라보며 우리는 괜스레 아쉽다. 정신없이 눈을 굴렸나 보다. 꼬르륵 소리가 힘차게 울린다.

점심을 먹고 놀이터에 간다. 과장 조금 보태서 미끄럼틀만큼 거대한 눈더미가 만들어졌다. 눈더미 한 귀퉁이에서 똥개들 마냥 구멍을 파기 시작한다. 하나둘씩 점심을 먹고 온 아이들은 저마다 자리를 잡고 구멍을 파기 시작한다. 각자의 구멍이 눈더미 한가운데서 만난다. 서로의 손가락을 확인하면서 이산가족보다 더 반가운 환호를 지른다. 더욱 열심히 판다. 친구의 손이 보이고 팔이 보이다 금세 얼굴까지 보인다. 매일매일 하루에도 몇 번을 만나는 친구이지만 이 순간 만나는 친구는 뭔가 다르다. 그놈은 그놈인데 새로운 그 녀석 같다. 반가운 마음에 악수한다. 이제는 눈더미 안에서 더 크게 구멍을 판다. 꼬마들 네댓은 충분히 둘러앉을 정도가 되어 이글루를 완성한다. 이글루가 바람을 막아주고 아이들의 체온이 내부를 데워서 이글루 안에 온기가 돌았다. 누구는 자리를 잡고 누워버린다. 누구는 꾸부정히 일어서서 창문을 만들겠다고 벽을 판다. 뭔갈 더 하고 싶고 더 놀고 싶은데 기운이 하나도 없다. 눈 굴리고 구멍 파느라고 힘을 다 썼나 보다. 너도나도 일찌감치 집에 간다.

"야, 우리 내일 이글루에서 제대로 놀아보자."

"뭐 하지? 소꿉놀이할까?"

"야, 시시하게 소꿉놀이가 뭐냐. 총싸움 같은 전쟁놀이 하자."

"그래, 잘 가. 내일 보자."

다음 날 아침 엄마가 깨우기도 전에 일어나서 다시 무장한다. 서둘러 이글루를 향해 달려간다. 먼저 온 친구가 이글루 앞에서 멀뚱하니 서 있는다.

"야, 안 들어가고 뭐 해?"

녀석은 가만히 손가락으로 이글루 안을 가리킨다.

"이런, 제기랄 똥개 새끼들!!"

간밤에 똥개들이 머물다 갔나 보다. 여기저기 똥이 한가득하다. 짜증이 솟구친다. 어제까지도 풍만하던 이글루를 향한 애정이 내리는 눈만큼이나 차갑게 식는다.

"야, 밟아."

너도나도 이글루를 밟아 부순다. 똥개 새끼들 두고 보자. 가만 안 둬.

제20화 사냥

엄마한테 말한 적이 있었는지 모르겠다. 안 했던 것 같다. 들으시면 깜짝 놀라시려나.

친구가 지나간다.

"야, 어디 가냐?"

"나, 아빠랑 삼촌이랑 사냥하러 간다."

"사냥? 뭐 잡는데?"

"일단 고양이들 잡고, 시간이 되면 새도 잡는데. 같이 갈래?"

"그래도 돼?"

자연스럽게 발걸음을 친구 쪽으로 옮긴다.

"아저씨 안녕하세요."

"오냐, 너도 같이 좀 거들래?"

친구 아버지랑 삼촌의 어깨에는 기다란 소총이 들려있다. 아파트 뒤쪽, 산비탈과 맞닿은 부분에는 여기저기서 굴러들어 온 쓰레기와 쓰러진 나무들이 뒤엉켜서 매우 더러웠다. 냄새도 나고 위험하기도 해서 사람들이 잘 드나들지 않았다. 그 틈을 타 고양이들이 점령했다. 새끼 고양이라고 반가워하다가도 며칠 지나면 훌쩍 커서 제 새끼들을 끌고 다녔다. 단지 여기저기를 파헤쳐서 더럽히기도 했고 시도 때도 없이 앙냥거리며 울어대서 골치 아픈 존재들이었다. 마침 시장 한약방에서 약으로 쓴다고 하여 아저씨들이 소탕 작전을 벌인 것이다. 나와 내 친구는 놈들을 담을 마대를 들고 명사수의 뒤를 따랐다.

인기척을 느낀 고양이들이 숨는다. 숨어 봤자다. 하도 많아서 숨어도 잘 보인다. '탕!' 저만치 한 놈이 쓰러진다. 완전히 죽진 않는다. 아저씨들의 총은 새를 잡는 용도라 고양이를 단발에 죽일 만큼 위력이 세진 않다. 옆에 있던 아저씨가 막대기를 휘둘러 대가리를 친다. 늘어진 녀석을 나와 친구가 들어다 자루에 넣는다. 생각보다 무겁다.

지금 사회의 시각에선 참 끔찍하다고 할 수 있겠지만, 당시엔 여느 일상일 뿐이었다. 딱히 트라우마로 남은 것도 없다. 지금 와서 당시를 떠올리면 그렇게 죽어간 고양이가 조금 미안하긴 하지만, 어쩔 수 없었다. 그렇다고 고양이 녀석들 유해하니까 꼭 없앴어야 했다는 생각도 아니다. 그저 흘러가는 일상의 한 페이지요, 그 당시 그 동네의 한 생활일 뿐이다. 딱 한 가지 마음에 남은 것은 '그놈의 고양이들이 약이 되나?'는 의문 하나다.

고양이 소탕을 마치고 뒷산으로 새 사냥하러 간다. 내 눈에는 잘 보이지도 않는데 아저씨는 저기 앉아 있으니 조용히 하라고 한다. 뭣도 모르면서 입을 틀어막고 숨을 참는다. 총구가 가리키는 허공을 가만히 지켜본다. '탕!' 소리와 함께 그 근방 어디에서 뭔가가 툭 떨어진다. 나와 친구가 잽싸게 달려가서 주워 온다. 주먹만 한 산까치 몇 마리랑 꿩 한 마리를 잡았다. 공터에 내려와서 친구 아버지는 불을 피우시고, 삼촌은 구석에서 새들을 다듬었다. 깃털로 뽀송하던 녀석들이 뽀얀 속살을 드러내며 다가왔다. 막대기에 꽂아서 훈제한다. 뽀얀 속살이 노릇노릇 익어간다. 고기에서 떨어진 기름이 장작을 만나 '치익~' 소리를 낸다. 살아 있을 때는 커다랗던 녀석이 털이 뽑히고 구워지니 절반보다 작아졌다. 노릇하던 고기가 윤기 흐르는 갈색이 되었다. 아저씨들이 꺼내어 살을 뜯어 우리에게 건네주신다. 가져온 맛소금 살짝 찍어 먹는다. 맛있다. 몇 점 먹다 보니 금방 없어졌다. 간단히 요기만 할 정도였다.

다시 회상해도 신기하다. 내게도 이런 추억이 있었다니. 망상은 절대 아니다. 생생히 기억나는 과거의 한 모습이다. 다시 말하지만, 너무 걱정하거나 놀라지 마시라. 여느 일상의 단편이다. 이상 끝. 탕! 탕!

제21화 질주

내 고향 고한읍에 대형 리조트가 들어선다는 소식이 들린다. 카지노, 숙박 시설, 물놀이장과 함께 스키장이 만들어진다고 한다. 탄광 산업의 몰락과 함께 쇠퇴해 가던 촌 동네가 관광 산업으로 다시금 활기를 띨 전망이란다. 그런데 그거 아시나. 고한읍 스키 문화의 시작은 그 옛날 우리라는 걸.

며칠 눈이 내렸다. 하염없이 내리는 눈을 치우고 치웠지만 일부는 길바닥에 눌어붙어 단단해졌고 나머지는 그 위에 살포시 덮여 있다. 더 이상의 눈싸움, 눈사람, 눈 집은 지겹다. 모두 맥가이버가 될 시간이다. 동네 여기저기에 굴러다니는 나무 판때기와 막대기들을 모은다. 톱으로 판때기를 엉덩이가 덮고도 남을 정도로 잘라준다. 판때기 너비만큼 자른 막대기 2개를 아래에 11자로 대고 못을

박아 고정한다. 막대기 아래에 굵은 철사나 얇은 철판을 덧대어준다. 썰매의 날을 만들었다. 이어서 판때기 상단에 썰매 날과는 수직으로 막대기를 고정하여 손잡이를 만든다. 이는 썰매에 앉아 엉덩이 뒤 양손으로 잡을 수 있게 하여 주행 시 방향을 조절할 수 있도록 하는 운전대 역할을 한다. 쇠줄로 거친 부분을 다듬는다. 바닥에 못으로 긁어 이름을 쓴다.

스키도 만든다. 우선 불을 피워야 한다. 재료가 한가득하고 기술자가 여럿이니 작은 모닥불은 순식간이다. 팔뚝만 한 PVC 파이프를 반으로 갈라 반 원통 두 갤 만든다. 피워 논 불 위에서 흔들흔들 돌려가며 데워주면 파이프가 살짝 흐물거리기 시작한다. 녹아내리기 전에 꺼내어 나무막대로 탕탕 쳐서 판판하게 펴준다. 제대로 펴질 때까지 대장장이 담금질하듯 심혈을 기울인다. 그다음 앞쪽을 달구어 구부려서 날을 세운다. 끝으로 양옆에 구멍을 뚫고 철사를 연결하여 신발에 고정할 수 있도록 한다. 기다란 나무작대기 두 개는 폴대로 쓴다. 준비는 끝났다. 바로 장비를 사용하진 않는다. 덮여있는 눈을 좀 걷어줘야 한다. 스키나 썰매를 타고 내려갈 때 쌓인 눈이 함께 말리면서 주행을 방해하기 때문이다. 다들 굴러다니는 비료 포대나 상자떼기를 가져다 깔고 앉는다.

"야, 일등부터 장비 선택하기다. 준비, 시작!"

쌓은 눈을 헤치고 가느라 속도가 다소 느리지만 첫 주행의 짜릿함은 말할 수 없을 만큼 상쾌하다. 아파트 단지로 올라오는 경사로는 어느새 근사한 스키장이 된다. 가히 훗날, 이 고장에 들어설 대형 스키장의 할아버지 격이라 할 수 있다. 에헴.

"내가 일 등으로 도착~!"

"아니지! 잴 먼저 올라가는 사람이 임자야!"

요동치는 규칙에 항의할 시간이 없다. 빨리 올라가서 양질의 장비를 선점해야 한다. 먼저 간 순서대로 스키를 차지한다. 썰매보단 서서 타는 스키의 스릴이 한층 더하기 때문이다. 올라오다 미끄러진 나는 뒤늦게 썰매를 챙긴다. 다행히 내가 만든 썰매다. 누군가 나도 모르게 내 이름 옆에 글자를 추가했다. '바보'.

'젠장, 당했다.'

스키면 어떻고 썰매면 어쩌랴. 스스로 만든 장비로 자연이 내려준 스키장을 질주하면 그곳이 천국이다. 손잡이를 잡고 이쪽저쪽 번갈아 힘을 주어 갈지자로 내려간다. 늦게 내려가는 스키 선수를 위협하여 넘어트린다. 이번엔 자세를 고쳐 잡고 뒤로 눕듯이 몸을 핀다. 속도가 붙는다. 앞서가던 썰매 선수 등을 친다. 함께 뒤엉켜 경사를 구른다. 눈 떠 보니 한참 아래다. 웃느라 정신이 없다. 저만치 아래에 차들이 보인다. 걱정할 필요 없다. 며칠 이어진 눈 때문에 올라오지 못하고 도롯가에 강제 주차된 차들이다. 아랫집 똥개와 눈이 마주쳤다. '야, 똥개 온다. 도망쳐!' 저 녀석도 이글루에 똥을 갈겼을 거다. 놀아주고 싶지 않다.

누군가가 나에게 다시 돌아가고픈 순간이 언제냐고 하면, 바로 이때로 가고 싶다. 직접 스키, 썰매 만들어 함께 경사를 내려오던 그 느낌. 말로 다 표현할 수 없는 천상의 짜릿함, 즐거움, 행복. 다시는 돌아오지 않을 그때 그 느낌.

제22화 생일축하

왜 생일을 축하해야 하는가? 태어남에 있어서 본인이 이바지한 바가 무엇인가? 8할은 임신 과정에 수고하신 부모님 몫이요, 남은 2할은 출산에 도움 주신 의료진 및 주변 가족의 몫이어야 함이 합당하다. 본인은 태 속에서 잘 먹고 잘 자란 수혜자일 뿐이다. 오히려 부모님을 비롯하여 본인의 탄생에 공이 크신 분들에게 감사드리며 엎드려야 함이 옳지 않은가? 어찌하여 작금의 시대에는 생일자가 가장 높은 위치에서 기고만장하고 있는지 모르겠다.

매년 돌아오는 생일에 왜 축하받아야 하는가? 그 한 사람 한 해 동안 잘 살아낸 것이 축하받을 일인가? 삶이라는 게 예나 지금이나 만만치 않은 건 사실이나, 먹고 마시는 물질의 풍요로움만 놓고 보면 훨씬 살아내기 수월한 시대 아닌가? 옛날에야 생일에 아이가 건강하게 자라길 바라는 마음에서 이런저런 행사를 했다곤 하나, 지금은 환경이 아주 다른데 왜 여태껏 풍습이 이어지는가? 이제는 누구나 가진 생일에 대해 서로 '네 한번 나 한번' 축하해주는 '정서적 품앗'이 말고는 무슨 의의가 있는가?

누구나 가진 생일이지만, 그 축하의 모습은 제각각이다. 가정환경, 시기, 날짜 등의 요인에 의해 사람별로 천차만별이다. 누구는 왕과 같이 환대받고, 누구는 생일이 없는 양 지나간다. 한 개인의 생일도 때에 따라 다르다. 차라리 국가에서 매일 생일자에게 같은 치하를 내리는 것이 적절할까? 지나치게 사회주의적인가? 여하튼 우리 사회가 생일에 대해 다시 생각해볼 필요가 있지 않은가? 도대체, 왜, 생일을 축하해야 하는가?

내 생일날이었다. 어머니께서 어른들 오셨을 때나 내오는 커다란 상에다 한가득 음식을 해주셨다. 김밥, 떡볶이, 오뎅 같은 분식에 잡채와 미역국도 빠지지 않았다. 그밖에 기억이 안 나는 게 죄송스러울 정도의 맛난 음식들이 흘러넘쳤다. 며칠 전부터 오지랖 떨며 생일을 알린 덕분에 많은 친구가 왔다. 저마다 각양각색의 선물들도 들고 와서 축하해주었다. 그보다 훨씬 전 내가 태어났던 그 날처럼, 엄마는 개고생하셨고 나는 왕 같은 대접을 받았다. 다행이라면 매번 생일마다 이러진 않았다. 오히려 이렇게 화려한 생일파티는 내 기억에 한 두 번밖에 되질 않는다.

나이가 들면서 점점 학업에 집중하는 시기가 될수록 내 생일은 별일 없이 지나갔다. 12월 초인 내 생일은 늘 2학기 기말고사 기간과 맞물려서 파티 따위에 시간 쓸 여력이 별로 없었다. 다들 기말고사 준비에 열중하거나 다가올 시험에 한껏 예민한 시기인지라 파티를 열어 초대할 분위기가 아니었다. 소소하게 가족과 함께 케이크에 꽂은 촛불을 불며 지나간 듯하다. 고등학교 때부터는 기숙사 생활을 하면서 그마저도 없이 지나갔다. 여느 때는 나름 시험공부에 열중한 나머지 옆의 친구가 내 생일임을 알려주기도 했다. 대학 때는 며칠이 지나서 생일이었음을 알아차린 적도 있었다. 그렇게 살아가며 생일에 대해서 무심해져 갔다. 학위를 이어가면서 좁은 인간관계에서 학업과 연구만 맞닥뜨리며 살다 보니 시나브로 감성적인 영역에서 무감각해졌다. 나의 생일뿐만 아니라 누군가의 생일, 우리의 기념일, 세상의 많은 축하 받을 일들에 대해서 굳이 그렇게 까지 할 필요가 있을까 싶은 지성주의로 내 마음 한편을 얼어 붙인 채 살았다.

지금의 아내와 만나서면 이 부분이 큰 문제가 되었다. 연애하는 시절의 달콤함보다는 오랫동안 내 안에 쌓인 무감각이 더 심하여, 생일 혹은 함께하는 기념일에 서로 챙기는 이것저것이 죄다 호들갑 떠는 것 같아 어색했다. 아내가 큰 공연을 하던 어느 날, 아무 생각 없이 빈손으로 갔다가 입구에 꽃장수가 즐비한데도 꽃 한 송이 안 들고 왔다고 혼이 났다. 그 정도로 무감각해져 있었다. 크게 화가 난 아내에게 그동안 내가 살아왔던 이야기를 하면서 어느 정도 풀었던 것 같다. 그렇다고 아내가 날 이해하진 않았다. 오히려 그러면 안 된다고 했다. 마음에서 우러나지 않더라도, 무감각하더라도 기념일에는 축하해야 한다고 했다. 마음에서 우러나지 않더라도, 무감각하더라도 기념일에는 축하해야 한다고 했다. 마음이 없더라도 머릿속에서 강제로 끄집어내라고 했다. 곧바로 수용할 순 없었다. 다만, 그녀가 만족한다면 억지로 하는 수밖에 없다는 마음으로 억지 축하를 했다. 의식적으로 기념일을 기억하고 선물을 챙기며 축하했다. 그러한 훈련의 결과일까. 시나브로 나의 무감각이 깨어지고 냉랭한 허무주의가 녹아내리는 것 같았다. 달력의 날짜만 바라보던 시선에서 동그라미 처진 그 기념일을 그리고 그날의 주인공들을 더 생각하게 되었다. 그리고 내가 따뜻해짐을 느꼈다.

왜 생일을 축하해야 하는가? 정서적 품앗이라고 평가절하했지만, 무엇보다 적절한 말이다. 이웃끼리 마음을 나누어 서로의 정서를 풍족하게 하는 것이다. 품앗이를 한다고 일이 늘거나 줄지 않는다. 생일을 축하한다고 생일이 늘거나 줄지 않는다. 그러나 품앗이를 하면 일이 수월해지고 서로의 관계가 풍요로워진다. 서로를 축하하면서 마음이 더 넉넉해지고 관계가 돈독해진다. 가진 것 없이 알몸으로 태어나도 그 순간 누구나 '생일' 하나는 건진다. 오고 가는 생일 축하 속에 넘치도록 수지맞는 인생이 되길.

3장

촌놈 @춘천

제23화 안개를 뚫고 학교 가는 길

지옥과 같은 엘리베이터에 갇혔다가 빠져나온 지 며칠 되지도 않았다. 괜스레 겁에 질려 몸을 움츠러든다. 이내 깨금발을 슬쩍 든다. 조금이라도 가벼워진 듯한 행위를 통해 긴장되는 마음을 달래고자 한다. 승강(昇降)의 너른 문(門)이 열리자, 무국(霧國)이었다.

아파트 정문을 빠져나와 도로 옆 인도를 따라 걷는다. 오리(五里)가 무중(霧中) 하여 코앞밖에 보이질 않는다. 발가락의 감각이 눈보다 먼저 인도가 끊겼음을 알린다. 주유소 앞으로 이어진 것이다. 눈을 게슴츠레 뜨고 주유소를 출입하는 자동차가 없는지 살핀다. 백묵(白墨)이 분무(噴霧)된 듯한 상황에 자동차들도 다닐 엄두가 나질 않을 테지. 다시 눈보다는 발끝에 온 신경을 모아 앞으로 나아간다. 그 순간 약간의 윤곽이 보인다. 나보다는 작은 키, 몸보다 커 보이는 머리통, 좌우로 약간 찌르는 듯한 귀, 모든 것이 뭉개져서 잘 보이지 않는 윤곽임에도 드러나는 똘똘함. 눈으로 확인하기도 전에 내 감각은 확신하여 소리친다.

"야! 원준아~!"

"어? 목소리가 무누냐? 어디야? 하나도 안 보여."

발걸음을 빨리할수록 흐릿한 윤곽이 조금씩 진해진다. 그러다 갑자기 번쩍하며 원준이의 모습이 또렷이 보인다. 10걸음 이상 떨어져 있을 때는 서서히 진해지던 윤곽이 3걸음쯤 되자 갑자기 맑아진 듯 다가온다. 어깨동무하며 나란히 걷는다. 하얀 가루가 둥그스레 우리 둘을 둘러싼 듯하다.

얼마 못 가서 다른 윤곽이 보인다. 어그러져 흐릿한 윤곽인데도 딱딱해 보인다. 우리 둘보다 어깨도 벌어져 있고 몸짓도 크다. 뭉개진 뒷모습에서도 약간 앞으로 쏠린 듯 급한 걸음이 엿보인다. 동시에 소리친다.

"성찬이다!"

"어이~ 김성찬~ 기다려 같이 가자~"

급한 걸음이 뚝 멈춘다. 어깨동무가 추가된다. 당연히 가운데는 키가 작은 인준이다. 아까보단 하얀 가루가 더 커졌다.

우측의 도로에서 노오란 불빛 두 개가 나란히 왔다가 빠알간 불빛 두 개로 바뀌어 이내 무소(霧消) 한다. 자동차 바퀴가 내뿜는 무신호(霧信號)가 점점 많아지고 저만치 앞에 빨간 점 하나가 흐릿하게 보인다. 누구보다 재빠르고 똘똘한 인준이가 발걸음을 멈춘다. 그 바람에 양옆의 나와 성찬이는 몸이 휘청인다.

"야, 왜 그래? 넘어질 뻔했어."

"건널목, 빨간불이야."

손가락으로 문대버린 빨간 점을 하염없이 쳐다본다. 한참을 쳐다봐도 그대로다. 문대진 모습도 빨간색도. 너무 오랫동안 치켜뜨고 있어서 눈이 뻑뻑하여 깜빡 눈을 감았다. 눈 깜작할 새 문대진 빨간 점은 없고 그 아래 비슷하게 문대진 녹색 점이 나와 있었다. 성질 급한 성찬이가 가장 먼저 간다. 이어서 인준이도 걸음을 나선다. 눈 깜빡하느라 늦은 나는 황급히 따라가지만, 균형을 잃고 휘청이다 어깨동무 대열에서 떨어져 나간다. 가까스로 인준이의 손을 잡는다. 누구랄 것도 없이 키득거리며 건널목을 건넌다. 건너야 할 하얀 줄은 아직도 많이 남았는데, 저 앞의 녹색 점은, 아니 녹색의 인간인 듯한 윤곽은 재촉하는 듯 깜빡거린다. 이렇게 음무(陰霧)가 난무(亂舞)하는 상황이면 조금 느긋해도 괜찮을 텐데, 저놈의 녹색 인간은 재촉이 일상이다. 안전 보행이 무산(霧散)되지 않도록 다급하게 발걸음을 옮겨 끝에 다다른다. 가빠진 호흡을 가다듬고 정신을 차려보니 길쭉한 윤곽이 보인다. 눈앞이 흐릿해서 그런가, 길쭉한 게 곧지 못하고 구불구불하다. 길쭉한 머리와 다소 구분이 모호하게 이어지는 긴 목, 얄팍한 어깨를 따라 흘러내리는 몸과 흐느적거리며 들러붙어 있는 팔다리는 한눈에 봐도 민이다.

"야, 허민! 거기 서서 뭐 하냐? 학교 안 가?"

"저쪽에서 너희들 오는 것 같아서 기다렸지."

흐느적 허민은 어깨동무를 싫어해서 -어깨를 거는 나로서도 걸쳐

놓을 껀떡지가 없어서 다행이지만- 우리는 어깨동무 대열을 풀고 실내화 주머니를 건들거리면서 걷는다.

신호등을 따라 건널목을 하나 더 건너면 바로 학교로 들어가는 골목이 보인다. 문구점 앞에는 오늘도 뽑기와 게임을 하는 아이들이 북적거린다. 다만 다른 날들과 달리 그 아이들이 한데 뭉쳐진 덩어리로 둥그스레 말려 보인다. 몇 걸음 더 가자 공기가 상쾌해진다. 짙은 안개 틈에서도 양옆으로 서 있는 높다란 잣나무들은 맑은 산소를 열심히 분무(噴霧)하는가 보다. 잣나무길이 끝나고 시야가 탁 트이며 운동장이 나타난다. 그리고 그 순간 희끄무레한 물체가 날라와 우리 앞에 떨어진다. 누구랄 것도 없이 발을 휘둘러 '뻥' 하고 차버린다.

"앗싸, 내가 찼다!"

"무슨 소리야! 내 발에 맞았는데?"

"야, 너희 둘 다 거짓말 마라. 맑은 날에도 똥 볼 차는 놈들이 차긴 뭘 찬다고 그래."

서로 티격태격하는 사이에 한 녀석이 땀을 흘리며 다가온다.

"야, 무누! 공을 저쪽으로 차면 어떡해! 우리 공인데 뺏겼잖아."

"야, 김승찬. 쫑얼거릴 시간에 빨리 가서 뺏어오면 되지!"

맑으나 흐리나 일찌감치 교실에 들어가는 법이 없다. 저러다 시작종을 치면 헐레벌떡 교실로 들어가겠지. 공 차는 아이들이 점점 더 무집(霧集)한다. '그나저나, 안개가 걷힌 건가? 공이 왜 이렇게 잘 보여. 오늘은 내가 골 넣을 날인가보다.' 아직 교실로 간 건 아니지만 얼추 등교한 것으로 퉁치자!

제24화 족대

딸내미, 아들내미와 냇가에 놀러 갔다. 조막만 한 잠자리채로 물고기를 잡는다고 성화다. 그러다 얼떨결에 새끼손가락만 한 물고기 한 마리를 잡았다. 아니 잡았다기보단 건졌다. 휘휘 젓는 챔질에 어린 물고기가 딸려 들어왔다. 어항을 한참 들여다본다. 수시로 건져 올렸다가 내려놓는다. 비린내 나는 물고기 살결이 그리도 부드러운지 몇 번을 쓰다듬는다. 어린 물고기 녀석은 이내 배를 하늘로 쳐들고 힘없이 꼬리를 흔든다. 아이들은 물고기 속도 모르고 마냥 좋다고 까르르 거린다. 그리도 좋을까. 그래, 나도 한창때 물고기잡이에 미쳐있었지.

아버지께서 사주신 족대를 들고 집 근처 하천을 나선다. 20걸음 정도가 되는 폭에 대부분 무릎 높이의 개울이었다. 양 가에는 풀들이 우거져 있었고 물은 제법 맑았다. 수풀이 우거진 곳에 족대를 댄다. 왼발을 바닥을 지지하고 오른발로 수풀 위를 마구잡이로 밟는다. 수풀에 숨어있던 물고기들이 놀라서 이리저리 도망치다 족대에 걸린다. 비늘이 가지런한 붕어나 몸뚱어리에서 반짝반짝 무지갯빛이 나는 피라미들이 잡힌다. 허접한 족대 한 번에도 너덧 마리가 잡힐 정도로 고기가 많다. 금세 가져간 어항이 꽉 찬다. 모래톱이 적당히 쌓인 곳에 적당히 둥그렇게 모래를 판다. 작은 조약돌들을 모아서 바닥을 메운다. 좀 더 큰 돌멩이들을 가져다 가장자리를 둘러찬다. 물을 채워 간이 어항을 만들고 잡은 물고기들을 쏟아붓는다. 피라미들은 금해 시들시들하다. 몇몇은 발길질에 혹은 수풀에 채였는지 비늘이 벗겨져 있다. 힘없고 못난 애들은 다시 보내준다. 실수로 실한 녀석 몇몇도 딸려 보낸다. 아이 손바닥만 한 붕어 몇 마리가 남는다. 질릴 때까지 족대질한다. 수풀에 발목이 생채기투성이가 되었을 때쯤에야 따갑기도 하고 힘도 떨어져서 그만둔다. 잡은 애 중에 예쁜 붕어 너덧 마리만 가져온 어항에 챙긴다. 간이 어항 위쪽으로 물길을 판다. 물길을 타고 냇물이 설설 흘러들어온다. 이윽고 간이 어항에 물이 넘친다. 넘치는 물을 따라 남겨진 물고기들은 제각각 흩어진다. 그 모습이 괜스레 우습다. 바보 같은 녀석들.

흠뻑 젖은 채로 집에 돌아온다. 가져온 붕어들을 어찌하나 싶다가 엄마가 금붕어를 키우시던 어항에 넣었다. 울긋불긋한 금붕어랑 잡아 온 붕어들이랑 제법 잘 어울려 다닌다. '엄마, 이제 어항에 물고기 죽으면 내가 잡아다가 채워놓을게.' 제 눈엔 돈 들여 사 온 금붕어보다 제 손으로 잡은 붕어가 더 이뻐 보인다. 한참 동안 어항을 들여다본다. 금붕어 먹이도 뿌려줘 본다. 꽉 찬 어항만큼 내 마음도 넉넉하다.

다음 날 아침 일어나자마자 어항을 확인하고는 깜짝 놀라 엄마를 찾는다. '엄마, 금붕어들 꼬리지느러미가 다 없어졌어!' 자세히 보니 덩치 큰 붕어들이 금붕어들을 졸졸 따라다니며 쪼아댄다. 이미 꼬리지느러미가 다 뜯겨 제대로 헤엄도 못 치고 허우적거리는 금붕어들은 속절없이 당하기만 한다. 엄마의 잔소리가 폭발하기 전에 금붕어들을 건져낸다. 후다닥 나가서 냇가에 놓아주고 온다. 모두가 다 제자리가 있는가 보다.

지금은 춘천 고향 집 옆 냇가가 많이 달라졌다. 하천을 정비하여 깔끔해졌고 주변으로 산책로도 만들어서 예전보다 더 많은 사람이 오간다. 달라진 하천의 모습 때문일까, 훌쩍 커버린 내 모습 탓일까. 하천에 들어가고픈 마음은 별로 들지 않는다. 산책길에 징검다리를 건너던 딸내미가 하천 바닥에 꾸물거리는 다슬기를 보고 잡아달라 성화다. 별안간 아버지께서 바짓가랑이를 걷어 올리시곤 냇가로 들어가서 다슬기를 잡아 손녀에게 건넨다. 한두 마리 잡고 그만두실 줄 알았더니만, 더 안쪽까지 가셔서 한 주먹 잡아 오신다. 걷어 올린 바짓가랑이는 벌써 젖어있다. 딸내미를 업고 나도 냇가로 들어간다. 바짓가랑이 젖듯 행복에 젖어 든다. 다 제자리가 있는가 보다.

제25화 가는 길에 멱감으며

친구들 몇몇과 모여 계획을 세웠다. ㅇㅇ이네 집에 놀러 가기 위해서다. 그깟 일 가지고 계획을 세울 정도인가 싶지만 나름대로 사정이 있었다. 친구 대부분은 춘천시 석사동이었지만 ㅇㅇ이는 학교에서 멀리 떨어진 무슨무슨리에 살았다. 어떻게 해야 갈 수 있는지 자세히 설명을 들었다. 그쪽은 길 자체가 많지 않았기 때문에 '대강 어디서 어느 길로 빠져서 쭉 오기만 하면 돼' 정도로 정리되었다. 하굣길에 그 친구 따라서 가면 되는 거 아닌가 하겠지만 아직 풀지 않은 사정이 더 있다. ㅇㅇ이는 아기 때 소아마비를 앓았고 그 후유증으로 한쪽 다리를 절게 되었다고 한다. 불편한 다리로 먼 거리를 통학할 수 없었기에 ㅇㅇ이는 매일 아버지의 오토바이를 타고 등하교했다. 어쩌다 ㅇㅇ이네 집에 놀러 갈 생각을 했는지는 또렷하진 않으나 기억의 저 깊숙한 곳까지 탈탈 털어보니 '옥수수'라는 낱말이 함께 생각난다. 아마도 ㅇㅇ이가 즈그 집에 맛있는 옥수수가 있다고 했고, 그거 얻어먹을 겸 놀러 가자 한 것 같다.

"다들 조심히 오거라!"

ㅇㅇ이는 아버지 오토바이 뒤에 타고 먼저 출발했다. 서너 명의 친구들과 함께 알려준 길을 되뇌며 걸어갔다. 얼마 지나지 않아 보도블록 길은 사라지고 아스팔트 외길이 나타났다. 이내 검은 아스팔트 길은 울퉁불퉁한 회색빛 시멘트 길이 되었다. 주변에 논밭과 개울이 가득 찰 즈음, 발밑은 비포장 흙길로 변하였다. 낯선 길이었지만 함께라서 두렵지 않았다. 쉬지 않고 떠드는 주둥아리들이 축지법이라도 시전했나 보다. 생각보다 금방 도착했다. 길가에 나와 있던 ㅇㅇ이와 같이 집에 들어갔다. 마루에는 벌써 김이 모락모락 나는 옥수수가 한가득 쌓여있었다. 걷느라 혹은 떠드느라 허기진 우리는 ㅇㅇ이네 부모님께 인사하자마자 허겁지겁 옥수수를 먹어 치웠다. 그리고 신나게 놀았다. 할 것 없는 시골에서 몸 불편한 친구랑 뭘 하며 놀았을까. 그저 함께 있었고 뭐든 던지고 잡고 뜯을 게 널려있기만 하면 잘 놀던 그때였다.

학교에서 다시 만날 것을 약속하고 ㅇㅇ이네 집을 나섰다. 다시 돌아가는 길은 왜 그렇게 길고 지루했을까? 가도 가도 흙바닥 길만 보였다. 다들 지쳐있을 때쯤, 옆에서 함께 걷던 냇물이 놀기 딱 좋게 물웅덩이를 형성하며 내려가고 있었다. 누가 손짓이라도 하는 양 다들 말없이 웅덩이를 향해 갔다. 땀에 전 옷을 벗었다. 속옷도 벗을까 하다가 놔뒀다. 신나게 멱을 감았다. ㅇㅇ이네 집으로 향할 때의 상쾌함 그 이상으로 시원했다. 실컷 놀고 나와서 햇빛에 몸을 말렸다. 젖은 속옷을 대강 털어서 가방에 넣고 옷만 입었다. 다시 발걸음을 옮겼다. 금세 흙길이 시멘트가 되고 아스팔트가 되었다. 좀 전의 시골스러운 세트는 누군가 후다닥 치워버리고 나름대로 도시화 된 1990년대 중반의 춘천시로 막이 옮겨졌다. 꿈이었을까?

그 후로 한참 뒤, 즉 지금으로부터 몇 년 전 고향 친구로부터 소식을 들었다. '○○이가 소아마비 후유증으로 일찍 죽었데.' ○○아, 편히 쉬렴. 꿈 같은 그곳에서.

제26화 추수 후 감사

"우와! 대빵 큰 마시멜로다!"

차창을 바라보던 아이들이 소리친다. 애 엄마가 단것을 차단해서 애들이 헛것을 보나 싶었다. 좌우로 논밖에 없는 외곽 도로에서 마시멜로 타령이라니. 아이들의 시선을 쫓아보았다. 아니나 다를까 추수가 끝난 논에 하얗고 둥글둥글한 물체가 여기저기 흩어져있었다. 당장 모닥불에 구워 먹고 싶을 정도로 마시멜로 같았다. 농기계의 발달로 추수와 탈곡이 바로 이루어질 뿐만 아니라 남은 볏짚들은 바로 뭉쳐져서 비닐로 감싸진다. 그렇게 만들어진 곤포 사일리지다. 대량 경차 한 대만 한 것들이지만 차창 너머에서 멀리 보니 조막만 한 하얀 뭉치들이 여기저기 흩어져있는 게 달콤하게도 보였나 보다. 그런데 어쩌나, 너희들이 아니라 소들이 군침을 흘려야 할 것들인데. 곤포 사일리지로 보관하면 날씨 변화에도 상하지 않도록 볏짚을 보관할 수 있고, 때에 따라 적당히 발효도 시킬 수 있어서 좋다. 기술적으로도 경제적으로도 이점이 많아 농민에게 유용하다. 상태 좋은 여물을 언제든 먹을 수 있어 소에게도 좋다. 구경하는 아이들에겐 잠시나마 재밌는 눈요깃거리라 즐겁다. 그러나 그 어린 시절 추억의 눈으로 바라보는 내게는 다소 아쉽다.

아파트 단지 동쪽의 2차선 도로 건너에는 넓은 논이 있었다. 그리고 추수가 끝난 논에는 마시멜로 대신 노적가리가 널려있었다. 당시에는 거두어들인 볏단을 잘 쌓고 그 위에 초가지붕처럼 덮어서 보관했다. 농업 기술이 발달하지 않았기에 그렇게 임시로 보관하다가 가져가 탈곡 및 도정했다고 한다. 여기보다 훨씬 시골에 이모가 살고 계셨을 때 놀러 간 적이 있다. 거기서는 짚단 한가득 창고에 넣어두고 새벽이면 가마솥에서 끓여 소여물을 만들었다. 장작 대신 지푸라기들로 불을 때서 가마솥을 데웠다. 요기에 일어나 마당을 나가면 여물 읽는 구수한 냄새가 가득했다. 창고 옆에는 불때고 남은 잿더미를 쌓아놨다. 남자들은 거기다 소변을 보았다. 소변에 잿더미가 적당히 썩으면 비료로 쓴다고 했다. 남아도는 지푸라기로 새끼 꼬는 법을 배웠다. 손으로 오물쪼물 잘 비비면 얼추 새끼줄이 되었다. 어른들은 새끼줄로 짚신도 만들고 그러셨다.

이모네서 봤던 노적가리가 내 앞에 있어 반가웠다. 그냥 지나칠 수 없었다. 친구들이랑 한바탕 놀기로 했다. 겉보기와 달리 생각보다 포근했다. 햇볕에 잘 말려지고 있어서 따뜻하기까지 했다. 지붕 위로 올라가면 얕은 동산 위에 오른듯했다. 맞은편 아파트는 여전히 하늘 높이 쏟아 있었지만, 노적가리 위 꼬마들은 제가 더 큰 양 으스댔다. 수시로 오르락내리락하다 보면 한쪽이 슬쩍 무너졌다. 무너진 부분은 나름의 미끄럼틀이 되었다. 미끄러지기보다는 구르기 일쑤였지만 재밌기는 매한가지였다. 신나게 놀다 기운이 떨어져서 집에 돌아갈 법도 한데, 아쉬운 녀석들은 지푸라기라도 잡는 심정으로 흩어진 지푸라기를 만지작거린다. 시골에서 배웠던 기억을 더듬어 두어 번 만지작거리다가 얼추 새끼를 꼰다. 느슨하고 삐쭉삐쭉 못났지만 제 눈에 안경이다. 친구들이 너도나도 알려 달라한다. 다들 한쪽 끝은 발로 밟고 다른 쪽은 양손으로 비벼가며 새끼를 꼬아본다. 하다 보니 지푸라기를 덧대는 것도 가능해져서 제법 길쭉하게 새끼줄을 만든다. 한껏 기분이 좋아져서 새끼줄로 줄넘기한다. 엉성한 새끼줄은 몇 번 돌지도 못하고 이내 풀어져 버린다. 완전히 지쳐버려 모든 것을 팽개치고 볏단 위에 눕는다. 이야기책에서 나오는 '늦은 밤 외양간에서 하룻밤 묵고 가는' 기분이 이러할까 싶었다. 이 정도 포근함이면 외양간이든 노상이든 하룻밤 지낼 만할 것 같다. 편히 누워 둘러보니 논 저 너머 교도소 입구가 보인다. 추수가 끝나 시야가 트여서 그런지 꽤 가까워 보인다. 교도소 관사에 사는 친구가 생각났다.

"야, ㅁㅁ이가 저기 관사에 산다고 그러지 않았어?"

"어, 맞아. 걔네 집 놀러 갈까?"

방금까지 퍼져있던 녀석들이 다 같이 뛰어간다. 벼가 가득할 땐 생각지도 못했는데, 추수가 끝나고 나니 뻥 뚫린 고속도로다. 신난다. 다음 놀거리를 찾아서, 달려!

제27화 육상부

먼 훗날에도 나는 달리고 있을까? 무얼 하며 달릴까? 계속 달려야 할 텐데 말이다.

40대인 지금의 나는 20년 한 참 어린 친구들과 달리고 있다. 이곳으로 온 지 약 4년여 동안은 정신없이 지내느라 달릴 여유가 없었다. 그러다 최근 예기치 못한 상황과 인연이 겹쳐 대학 동아리 학생들 틈에 끼여 농구를 하게 되었다. 젊고 팔팔한 그들과 어울릴 수 있을지 걱정했다. 적당히 상황 봐서 낄 자리가 아니면 빠져야겠다는 마음으로 시작했다. 근데 생각보다 나쁘지 않았다. 대학 다닐 때 한 참 열심히 했던 덕분인지 얼추 1인분은 할 수 있었다. 물론 체력이 많이 딸려서 그들처럼, 그리고 예전의 나처럼, 몇 시간씩 오래 하긴 힘들었다. 적당히 조절하며 어울렸다. 가입비라는 핑계로 동아리 부원들끼리 밥 사 먹으라고 얼마쯤 쥐여줬다. 그래서 그런가 계속 같이하자는 권유에 반년 넘게 하고 있다. 비슷하게 반복되어 지루해지는 일들과 성가시게 하는 여러 현황 때문에 스트레스받고 있던 요즘의 매우 큰 활력소라 할 수 있다.

30대의 나는 거의 달리지 않았다. 가정을 꾸리고 아이들을 키우며 직장생활을 하느라 나를 돌볼 여유가 없었다. 만사가 귀찮았다. 여유 시간이 생기면 드러눕기 바빴다. 하루하루 몸이 뻣뻣하게 굳어가는 게 느껴졌다. 조금만 달려도 금방 숨이 찼다. 심지어 디스크라는 질병도 얻었다. 그 기간이 대략 5~6년여 되었다. 그러다 교회에서 알게 된 몇몇 형님들과 소소하게 농구 소모임을 하게 되었다. 젊었을 때 농구 좀 했다는 내 얘기를 듣고 어디 얼마나 하는지 한번 해보자며 시작되었고 그 모임이 1년여 동안 이어진 것이다. 다들 젊었을 때의 날고 기던 추억을 안고서 달렸지만, 하나둘 고장 나기 시작한 몸은 심히 삐걱거렸다. 그래도 즐거웠다. 누가 보기에는 그저 흐느적거리는 몸짓에 가까웠을 거다. 그러나 내 몸은 달렸다. 그리고 마음은 날았다. 아쉽게도 그 시간은 길지 않았다. 이직과 함께 다른 지역으로 이사하면서 나의 달리기는 다시 멈춰졌다.

20대의 나는 쉬지 않고 달렸다. 심심하고 할 일 없으면 운동을 했다. 학업을 비롯한 여러 일들로 힘들고 지칠 때도 체육관을 찾았다. 쉬지 않고 달리면서 나는 건강해졌다. 근육이 붙고 체력이 늘었다. 그뿐만 아니라 달리는 동안 정신과 마음이 정화되었다. 일상으로 피폐해진 내면을 비워주고 씻어주는 시간이었다. 많은 사람과 어울렸다. 시합을 통해 상대와는 치열하게 경쟁하고, 팀 안에선 하나의 목표를 향해 함께 달렸다. 많은 이들이 주목하는 순간에 빛나는 주역이 되기도 했다. 신께서 내게 주신 선물 같은 시간이었다.

늘 운동하길 좋아했다. 아니 그보단 몸을 쓰는 모든 짓거리들을 다 좋아했다는 표현이 더 정확하다. 시골에서의 그 활발한 활동력이 도시로 왔다고 어디 가질 않았다. 초등학교 5학년 때쯤이었다. 체육 선생님께서 나를 따로 불러서 교내 육상부에 들어올 것을 권유하였다. 시골에서 단련된 나의 파닥거림이 선생님에겐 좋게 보였나 보다. 소심한 성격 탓에 선생님의 권유를 거절한다고 생각할 수 없었다. 뭔가 나를 인정해주는 것 같았고 다른 녀석들보다 내가 돋보일 것 같은 마음도 들었다. 그 자리에서 덜컥하겠다고 답했다. 그날 방과 후에 바로 육상부 활동을 시작했다. 체육 선생님이 주신 흐늘거리는 운동복을 입었다. 같이 들어온 몇몇들과 체조를 하고 운동장을 달렸다. 선생님께서 나에게는 높이뛰기가 주 종목이라고 하셨다. 뭔지도 모르고 가로 놓인 막대를 계속 넘었다. 하교하는 친구들이 탄성을 질렀다. '우와~ 멋지다!' 어깨를 으쓱했다. 훈련을 마치고 느지막이 집에 갔다. 엄마가 노발대발하셨다. 당장 내일 학교에 가면 육상부 안 한다고 말하라고 하셨다. 이런저런 이유도 말씀하신 것 같은데 잘 기억은 안 난다. 대략 예체능부 같은 거 눈독을 들이지 말고 공부나 열심히 하라 신 듯하다. 내가 또 엄마 말 잘 듣기로는 저리 가라 할 정도로 착한 장남 아니겠는가. 다음날 학교에 가서 체육 선생님께 육상부 못하겠다고 말씀드렸다. 선생님은 예상한 반응이었다는 듯 아무 말 없이 내가 보내주셨다. 그렇게 육상부 생활 1일 천하를 마무리했다.

달렸다. 달린다. 계속 달릴 거다.

제28화 문명

문명이란 늘 상대적이지 않을까?

스마트폰과 IoT 등이 보편화된 환경에서 태어난 지금의 아이들에겐 이것들은 그저 날 때부터 함께해 온 일상일 뿐 앞선 문명이라 느끼지 않을 것이다. 한창 연구, 개발되고 있는 인공지능, 머신러닝 등이 곧 일상화되면 새로운 문명이 다가왔다고 느끼지 않을까 싶다. 우리 부모님 세대에게 문명은 무엇이었을까? 아마도 텔레비전, 냉장고, 세탁기 같은 가전제품이나 자동차 등일 것이다. 그럼, 나에게 다가온 첫 문명은 무엇이었을까? 단언컨대, 컴퓨터와 인터넷이라고 할 수 있다.

중학교에 들어갔을 때, 아버지께서 그 이름도 유명한 '세종대왕' 컴퓨터를 사주셨다. 이름에 걸맞게 아주 크고 웅장한 장치였다. 그리고 이유는 잘 모르겠지만 그 컴퓨터는 내 방에 설치되었다. 이후 세종대왕님은 나의 멋진 친구가 되었다.

문명의 이기 활용 1. 가장 먼저 익힌 기능은 문서 작업이었다. 더듬더듬 키보드를 눌러 글씨를 만들고 만들어진 글씨가 합쳐서 하나의 문서가 되었다. 무엇보다 내 못난 글씨를 숨길 수 있어서 좋았다. 가정 수업 선생님께서 다음 요리 실습을 위한 레시피를 정리해 오라고 숙제를 내주셨다. 어떤 계기로 그랬는지는 모르겠지만, 나는 세종대왕님의 힘을 빌렸다. 상단에 제목을 쓰고 그 아래 내 이름을 적었다. 그리고 번호에 맞춰 요리 순서를 정리했다. 뭔가 아쉬워서 테두리를 구불구불 화려하게 장식했다. 클립보드에서 일부 이미지도 삽입했다. 선생님께서 굉장히 칭찬해 주신 기억이 난다.

문명의 이기 활용 2. 너무도 자연스럽게 게임을 했다. 친구들로부터 불법으로 복사해 온 게임을 즐겼다. DOS 기반의 멋없는 게임이었지만 시간 가는 줄 몰랐다. 다행히 중독되거나 그러진 않은 것 같다.

문명의 이기 활용 3. 언젠지 잘 기억은 안 나지만, 아버지께서 약주를 걸치고 들어오시면서 CD 뭉텅이를 툭 던져주셨다. 겉에는 'ㅇㅇ세계대백과'라 쓰여 있었다. 근데 뭔가 좀 허접해 보였다. 싼 값에 불법복제물을 사 오신 듯했다. 그래도 내용물은 충실했다. 책장의 두꺼운 백과사전은 그렇게 짝퉁 백과사전에 밀려 퇴물이 되었다.

문명의 이기 활용 4. 세종대왕님은 방구석의 나를 부모님 몰래

저 먼 세상으로 보내주셨다. 당시 전화선으로 컴퓨터를 전화 포트에 연결하면 PC통신이 가능했다. 다만, 나는 아이디가 없어서 친구 정수의 것을 빌려 썼다. 사용한 시간만큼의 비용을 용돈에서 빼서 정수에게 줬다. 이런저런 게시판에서 재밌는 글과 사진을 보느라 시간 가는 줄 몰랐다. 익명의 누군가와 오랜 시간 채팅을 하기도 했다. 용돈의 대부분을 PC통신으로 탕진할 무렵, 부모님께서 나의 통신 여행을 알아차리셨다. 집으로 들어오는 전화 회선은 하나이기에 내가 PC통신에 접속하면 우리 집 전화는 먹통이 되었다. 엄마가 지인으로부터 그 집은 왜 밤만 되면 계속 통화 중이냐는 얘기를 들으시곤 사건의 전모가 드러난 것이다. 세종대왕님을 내 방에서 뺏길 대위기를 맞이하였으나, 다음부터는 안 그러겠다는 약속과 함께 대왕님과의 동거를 유지할 수 있었다.

문명의 이기 활용 5. PC통신이 단절되어 시무룩한 어느 날, 친구 정수가 귀한 소식을 물고 왔다. 근처 도서관의 컴퓨터실에는 랜(LAN)이라는 것이 설치되어 인터넷이 매우 빠르다고 하였다. 뭐가 설치되고 뭐가 빠른지는 모르겠지만 PC통신을 대체할 무언가가 있다는 말에 그 즉시 도서관으로 달려갔다. 도서관 컴퓨터를 통해 인터넷이라는 새로운 문명을 맞이했다. 그리고 PC통신에서는 엄두조차 낼 수 없었던 동영상 시청을 할 수 있었다. 당시 인기 가수들의 뮤직비디오를 잔뜩 찾아보았다. 그뿐만 아니었다. 컴퓨터에 밝은 정수 덕분에 해당 뮤직비디오를 다운로드할 수 있었고 가져간 3.5인치 플로피 디스크에 파일들을 차곡차곡 담을 수 있었다. '세종대왕님 기다리세요. 제가 최신 뮤직비디오들을 잔뜩 들고 가겠습니다!' 그날 밤 세종대왕님을 알현하여 플로피 디스크를 진상하였다. '전하, 천하의 뮤직비디오를 모조리 담아 왔습니다.', '어디 시현해 보거라!' 그러나 도서관에서는 잘도 재생되던 뮤직비디오가 집에서는 먹통이었다. 아무리 세게 클릭해도 묵묵부답이었다. 알고 봤더니 내가 받은 것은 뮤직비디오로 접근하는 html 링크 주소 파일이었다. 인터넷이 연결되어 있지 않은 우리 세종대왕님께는 무용지물이었다. '여봐라. 저놈이 나를 능멸하였도다. 당장 저놈의 목을 쳐라!' 대왕님 대신 노여움에 가득한 나의 오른손은 괘씸한 플로피 디스크를 내동댕이쳐 능지처참하였다.

이제는 새로운 문명에 밀려 추억의 저편으로 사라지거나 그저 그런 일상의 한 부분이 되어버린 나의 어린 시절 문명들이여 영면하소서!

제29화 꿈

오늘도 어딘지 모를 높은 곳에서 시작한다. 좌우는 어두컴컴한 숲으로 둘리어 있다. 발아래로는 시커먼 물줄기가 세차게 흘러 저 멀리 아득하게 흘러간다. 그 순간 나는 그 검은 물줄기 위에 안착한다. 여긴 어디지? 댐이다. 방류가 시작되는 댐의 가장 높은 곳이다. 도대체 왜, 어떻게, 어떤 연유로 이렇게 됐는지 생각할 겨를도 없이 물줄기와 함께 곤두박질친다. 마냥 떨어지는 줄 알았다. 조금 진정하고 보니 숨을 쉬고 있다. 몸의 절반만 수면 아래 잠긴 채로 흐름과 함께 미끄러지고 있다. 이내 자세를 고쳐 본다. 상체를 일으키고 다리를 편다. 파도를 타듯이 물줄기와 하나가 되어 나아간다. 검은 숲에서 뿜어지는 공기들이 나를 멈추고자 맞바람으로 저항한다. 소득 없는 저항일 뿐 긴장한 땀줄기를 식히고 스쳐 지나간다. 영원히 이어질 줄 알았던 물줄기가 저만치 앞에서 끊어져 있고 전방에는 새하얀 하늘만이 펼쳐져 있다. 이번에도 무언가 생각할 틈을 주지 않는다. 생각의 물꼬를 트려는 순간을 훼방하려는 듯 다시 아래로 떨어지고 일어서서 미끄러진다. 몇 번의 추락과 항해가 반복된다. 어느 정도 익숙해진 것 같으나 추락할 때의 등골 오싹한 공포는 좀처럼 가시질 않는다. 공포가 내적 하여 장애가 되기 전에 항해의 시원함이 모든 것을 초기화한다. 이전의 곤두박질보다 더 극심한 추락이 이어진다. 이번엔 좀처럼 일어설 수도, 미끄러질 수도 없다. 오히려 조금씩 아래로 잠기는 듯하다. 숨이 막힌다. 극심한 복통이 밀려온다. 소리치고 발버둥을 쳐도 아무런 반응이 없다. 모든 것을 자포자기한 그 순간 눈이 번쩍 떠진다. 여전히 수면에 잠긴 양 베개가 축축하다. 엎드려 누운 탓에 호흡이 가빠온다. 아랫배 통증도 여전하다. 정신이 채 돌아오기도 전에 화장실로 뛰어간다. 배뇨와 동시에 현실로 무사히 돌아왔다는 안도감이 밀려온다.

여기는 또 어딘가. 온 사방이 폐허로 변해있다. 도로는 온갖 요철로 어지럽고 건물들은 성한 곳이 없다. 잿빛 하늘에 연기마저 자욱하다. 느닷없이 날카로운 긴장감이 밀려온다. 실체를 알 수 없는 무시무시한 적들이 나를 향해 달려온다. 시각, 청각, 후각은 마비된지 오래다. 적들이 뿜어 밀어내는 탁한 공기가 내 피부를 스친다. 그 음산한 촉각이 내게 경고한다. '도망쳐!' 인정사정 볼 것 없이 달린다. 정체를 알 수 없는 건물에 들어선다. 어지러이 헤매다 발견한 계단을 향해 달음박질친다. 쉼 없이 올라간다. 오르면 오를수록 그들의 공포스런 공기가 더 가까워진다. 눅눅하고 흐느적거리는 공기가 달라붙어 떨어지지 않는다. 더 큰 공포는 저 앞에 있다. 좌우로 피할 곳이 없다. 저만치 계단의 끝이 다가올 듯 오지 않는다. 달리고 있지만 달리지 않는다. 내 다리는 뛰고 있는가. 내 팔은 휘젓고 있는가. 내 심장은 요동치고 있는가. 그저 의식만 남아서 뛰고, 휘젓고, 요동치며 공포에 휩싸인다. 앞뒤로 맞부딪히는 공포에 옴짝달싹 못 하게 된다. 적들의 음침한 공기가 실체가 되어 내 발목을 붙잡으려는 그 순간 눈앞이 열리고 빛이 번진다. 계단의 저 끝 옥상으로 도달했다. 다음 전략을 모색할 틈도 없이 난간 아래로 추락한다. 계단을 오를 때보다 훨씬 긴 시간 동안 떨어진다. 미약한 비명도 허락되지 않은 채 추락의 공포를 온전히 흡수한다. 뒤쫓던 적들이 저만치 아래에서 똬리를 틀고 엎드려있다. 그 안에 더 깊은 공포의 심연이 나를 기다리고 있다. 걷잡을 수 없이 빨려 들어가려는 그 순간 눈이 번쩍 뜬다. 눈꺼풀이 올라가는 동시에 상체를 일으킨다. 추락의 고통이 아랫배에 몰려온다. 뛴다. 방출한다. 그리고 안도한다.

'높은 데서 떨어지는 꿈을 자꾸 꾸는 걸 보니 키 크려나 보다.' 엄마는 별일 아니라는 듯 말씀하신다. 오히려 더 좋은 거란다. 정말 키가 컸는가 대충 정수리 위로 손을 대 가늠해본다. 별일 없는 평안한 하루가 그냥저냥 흘러간다.

머리가 크고 철이 들고나니 꿈을 거의 꾸질 않는다. 이젠 현실 속에서 끊임없이 추락한다. 목표가 좌절되어 침울하다. 하고픈 일은 할 수 없고, 해야만 하는 일에 지쳐 무너진다. 외면할 수 없는 온갖 현실이 나를 붙들어 맨다. 때로는 순항하고 있다가도 예고 없이 다가오는 과제들이 나를 작아지게 한다.

그래도 살아간다. 아니 살아낸다. 매일 반복되는 낙몽(落夢)도 돌이켜보면 항상 시작은 맨 꼭대기였다. 떨어지고 떨어져도 어느 순간엔 다시 올라가 있었다. 삶도 그렇다. 끊임없이 추락하다가도 눈 똑바로 뜨고 보면 다시 올라간다. 나는 비록 무너져도 가족, 친구, 선생님 등 나를 둘러싼 많은 사람과 함께 같이 올라간다. 생각지도 못한 높은 곳에 서기도 한다. 어지러이 반복되는 삶의 파고 속에서 몸과 마음이 자란다.

'오르락내리락하는 삶을 살아가는 걸 보니 네가 성장하고 있구나.'

'그치, 엄마? 나 잘하고 있지?'

작가의 말

"먹는 것과 책 사는 것에는 돈을 아끼지 마라."

아버지께서 어린 시절 종종 하시던 말씀이다. 가끔 외식할 때면 식당 주인께서 주문을 다시 확인할 정도로 나랑 내 동생은 잘 먹었다. 초등학교 때 일반 성인이 먹는 만큼 먹었고 중학교 이후부턴 2인분 이상이 기본이었다. 둘 다 워낙에 활동적이라 따로 체중 관리할 필요가 없었다는 점은 참 다행이다. 거꾸로 보면 그만큼 활동하니까 많이 먹지 않았나 싶다. 두 똥강아지 식비 감당하시느라 고생하신 부모님께 박수 한 번, 짝! 아버지께서는 매우 검소한 분이셨다. 생활 전반에서 꼭 필요한 것 외에는 잘 소비하지 않으셨다. 간혹 아버지와 어머니 사이에 '필요한 것'에 대한 기준이 달라 긴장감이 돌기도 했다. 물론 아버지는 보수적 태도셨고 형제들은 어머니 편이었다. 그 와중에 '책'은 부모님께서 항상 구매를 주저하지 않으신 '필요한 것'이었다. 서점에서 책을 고를 때나 책방에서 책을 빌릴 때나 항상 제한이 없으셨다. 간혹 읽다 말고 구석에 처박아 놓은 책이 있었다 하더라도 타박하지 않으셨다. 부모님께서는 실컷 많이 먹으라고 하시는 만큼이나 책 사는 것, 더 자세히 말하면 책 읽는 것을 장려하셨다. 그렇게 집에 늘 책이 있으니 책을 읽었다.

초등학교 때는 밤에 불을 끄고 자는 게 무서웠다. 불 끄기가 싫다는 핑계로 침대에 누워서 책을 읽었다. 읽다가 저도 모르게 스르르 잠드는 게 습관이었다. 그 당시 [메이저리그와 정복자 박찬호, 김창웅, 무당미디어]라는 책에 푹 빠져있었다. 최고의 무대에 서기까지 박찬호 선수가 겪었던 여러 가지 에피소드들이 매우 재밌었다. 다시 읽어도 재밌어서 마르고 닳도록 읽었다. 치열한 경쟁과 차별적 대우 속에서도 최선을 다하는 그의 모습에 많은 감명을 받았다.

어느 날 앞집 친구네 집에 놀러 갔다. 친구 방 책장에는 여러 세계 문학 소설이 있었다. '와, 이 녀석은 이 책들을 다 읽는단 말이야?' 난 그 친구가 평소에 그 책들을 다 읽는다고 오해했다. 질투와 오기가 발동하여 무심코 한 권을 집어 빌려달라고 했다. '네가 읽는 책, 어디 나도 한번 읽어 보자.' 아주 보잘것없고 유치한 동기와 함께 [노인과 바다, 어니스트 헤밍웨이]를 읽게 되었다. 두꺼운 소설을 완독하기란 쉽지 않았다. 소설의 재미보다는 다 읽어내고야 말겠다는 오기로 읽었다. 오해로 인해 상처받은 자존심을 지키기 위해 끝까지 읽었다. 허무했다. '이건 뭐지. 그러니까, 할아버지가 배를 타고 바다로 나가서 운이 좋게 청새치를 낚았는데, 배 옆에 매달고 오다가 상어 떼의 공격을 받아, 결국 뼈만 남았다는 얘기잖아.' 오기로 읽은 결과 세계적 명작을 한낱 실패한 낚시꾼 이야기로밖에 이해하지 못했다. 다행히도 약간의 호기심이 남아서 다시 읽어 보았다. 명작을 온전히 이해하기엔 아직 어렸지만, 두 번째 읽을 때는 소설 속의 상황이 머리로 그려져서 재밌었다. 캄캄한 바다에서 청새치와 사투를 벌이는 할아버지, 매달린 청새치를 공격하면서 뜯어먹는 상어들, 뼈만 남아 앙상해진 청새치, 노인을 위로하는 소년 등 그때 읽으면서 그렸던 장면들이 아직도 어렴풋이 생각이나, 마치 내가 겪은 추억인 양 기억에 남아있다.

고교 시절 자습 시간에 공부하기 싫을 때면 책을 읽었다. 친구들이랑 무협지나 판타지 소설을 돌려보다가 선생님께 압수당하곤 했다. 그러면 정신을 차리고 다시 공부해야 하는 것이 응당 바른 자세이나, 반항기 가득한 청소년의 나는 고전문학책을 꺼내어 읽었다. '너 이 녀석 또 판타지 소설 읽는 거야?' 감독 선생님이 다시 와서 검열을 시도할 때, 난 당당히 국어 공부를 위함임을 어필했다. 무자비한 검열에 대한 소심한 복수라고나 할까. 철부지 똥고집으로 꺼내긴 했지만, 손에 쥔 김에 읽었다. 읽어 보니 나름 재밌었다. 잘 모르는 용어나 생경한 표현이 많아서 읽기 힘들었지만, 이야기 자체는 매우 흥미로웠다.

대학에 들어가고 나서는 책을 거의 읽지 않았다. 책 말고도 즐길 거리가 너무 많았던 시기였다. 결혼하고 취직을 한 이후, 젊었을 때 즐기던 것들이 다 시시해졌다. 그러면서 다시 책을 읽기 시작했다. 특히 국내외 명작 소설을 주로 읽었다. 재미있는 이야기들이 가득한 소설이 가장 읽기 수월했다. 가상의 인물과 지어낸 이야기이지만 그 안에서 삶을 발견하고 철학을 느낄 수 있었다. 명확하게 삶의 지침을 알려주는 인문 서적보다 소설은 다분히 주관적이고 두루뭉술하다. 그러나 안개 같은 이야기들을 생각하고 상상하며 곱씹다 보면 그 안에 숨겨둔 메시지를 발견할 수 있었다. 그런 메시지들은 머리와 가슴에 함께 남아서 좋았다.

대학에서 일하게 되면서 가장 좋은 점은 가까이에 매우 훌륭한 도서관이 있다는 점이었다. 열람실에서 공부하기 위해 방문하는 학생들 틈에서 책을 빌리기 위해 드나들었다. 생각보다 많은 장서가 있어서 좋았다. 없는 책을 신청하면 사들여 줘서 더 좋았다. 가끔 아무도 읽지 않은 새 책을 발견하여 읽을 때면 왠지 모를 희열을 느꼈다. 책 읽는 게 좋아졌다. 아니, 그건 좀 과장됐다. 그저 책 읽는 게 좀 더 익숙해졌다. 책을 읽다 보니 단순히 책 속의 재미를 발견하는 것을 넘어서서 책과 관련한 몇 가지 희망 사항들이 생겼다. 첫 번째는 도서관장이 되는 것이다. 책과 함께 일을 해보고 싶어졌다. 잘할 수 있을지, 좋은 일인지는 모르겠지만 책과 함께 숨쉬며 일하는 공기를 느끼고 싶었다. 두 번째는 출판사 만드는 일이다. 특이하게도 출판사는 다른 '업'들과는 다르게 사무공간 없이 일반 가정집 같은 데서도 사업등록을 할 수 있다고 한다. '상업'과 '문화'의 경계에 있어서 그런지 특별한 대우를 받는 것 같았다. 그러한 신비로움에 끌렸다. 세 번째는 출판사와 더불어 책방을 꾸미는 것이다. 더 자세히 말하자면 책을 팔기도 하고 만들기도 하면서 책에 대한 삶과 이야기가 쌓이는 '공간'을 만들고 싶어졌다. 모르겠다. 정말 꿈같은 이야기다. 마지막으로 하고 싶은 건 역시나 '책을 쓰는 것'. 책을 읽다 보니 '나도 책을 써보고 싶다.'라는 마음이 들었다. 특히, '소설'을 쓰고 싶어졌다. 근데 또 소설을 계속 더 읽다 보니 만만치 않겠다는 생각이 점점 들었다. 좋은 책들을 접할수록 나 자신이 작아지면서, 책을 쓴다는 것은 내가 범접할 수 없는 일이라고 느껴졌다. 훌륭한 명작 소설을 읽을 때면 '나는 도저히 이렇게 깊고 깊은 상상력의 나래를 펼칠 순 없어.'라며 자신 없어졌다. 그래도 나이가 들어서 그런가. 조급하진 않다. 이룰 수 있을지 모르겠지만 무언가 목표가 있다는 것이 행복하다. 삶의 긴 호흡 속에서 하나씩 도전하고 이뤄가고 싶다. 내 삶의 책이 덮이는 그때까지.